Alfred Hitchcock

Dans la même collection

LES GRANDS ACTEURS

Romy Schneider
Marilyn Monroe
Gérard Depardieu
Clint Eastwood
Simone Signoret
Steve McQueen
Grace Kelly (mars 1989)
Christophe Lambert (mars 1989)

LES GRANDS GENRES

Le cinéma érotique
Le film de science-fiction
Le film d'épouvante (mars 1989)

LES GRANDS RÉALISATEURS

Alfred Hitchcock
Sergio Leone (mars 1989)

LES GRANDS FILMS

Autant en emporte le vent

Jacques Zimmer

Alfred Hitchcock

Editions J'ai lu

Alfred Hitchcock est une figure exceptionnelle, voire unique.

Voici bien le seul réalisateur au monde dont le plus inculte des spectateurs puisse citer sans erreur cinq ou six titres tout en reconnaissant sa silhouette entre mille.

Bien entendu, nous éliminons d'entrée les comédiens-réalisateurs ayant (comme Charles Chaplin ou Jerry Lewis) créé un personnage célèbre. Au contraire, même s'il met un point d'honneur à apparaître quelques secondes dans chacune de ses œuvres, Alfred Hitchcock n'a jamais « fait l'acteur ». Pourtant, chacun connaît son visage comme l'inimitable galbe tronconique de l'obèse débonnaire qu'il incarne avec malice. Mais ce n'est qu'une apparence...

De profil c'est la double courbe d'un front bombé et dégarni prolongé d'une bouche charnue et d'un menton fuyant. De ce curieux tracé dont il se plaît à jouer, l'auteur a dessiné lui-même, en trois traits décisifs, une caricature qui fit le tour du monde au générique de ses shows télévisés.

De face, Alfred Hitchcock propose un visage de bouddha noyé dans la graisse qui, s'il gêna l'adolescent qu'il fut, ne put que ravir le créateur d'illusions qu'il devint ensuite.

Comme chacun de ses films, cette effigie charnue est un piège, un masque trompeur, une fausse piste. Sous des paupières lourdes dont il accentue volontiers le plissé reptilien, fuse un regard aigu, sombre, implacable. Et si l'on n'y regardait de près, le modelé bonasse des joues et du double menton ferait oublier l'irrésistible opiniâtreté du tracé des lèvres. L'ironie, la volonté, sans doute le mépris, peut-être la méchanceté sont inscrits dans le dessin d'une bouche qui proféra tant de formules narquoises, de traits vengeurs et d'aphorismes percutants. Mais surtout, et pour notre plus grand bonheur, articula tant de fois le mot le plus magique qui soit : « Moteur. »

Les années anglaises

8 Un enfant angoissé, un adolescent trop tranquille. Puis c'est l'apprentissage : du muet au parlant. Hitchcock déjà, Hitchcock enfin...

Les années américaines

38 Après Rebecca et des œuvres de guerre, un film exceptionnel avec un couple miraculeux.

Les années royales

62 Les plus grands chefs-d'œuvre d'un prestigieux magicien. Son art est au zénith.

Sommaire

7

LES ANNÉES ANGLAISES

Jeune et innocent (1937).

Comment devient-on Alfred Hitchcock ? Le talent, parfois le génie sont, bien entendu, présents. Et d'innombrables études furent consacrées à son inimitable savoir-faire.

Restent les mystères d'une vie privée qu'il parvint à préserver bien qu'étant l'un des hommes les plus publics de son siècle. Mais de fait il n'offrit – en abondance – qu'une image aussi soigneusement construite que ses célèbres mouvements d'appareil. Alors que son double se produit sur les écrans du monde entier, lui se cache, mène une vie discrète et, lorsqu'on l'interroge, alterne avec malice les demi-vérités et les anecdotes souvent trop belles pour être vraies.

N'alla-t-il pas jusqu'à interdire qu'aucune recherche sur lui-même fût effectuée après sa mort ? Et sa famille respecta ces instructions. Donnons-leur raison : on ne transgresse pas sans risques les volontés d'outre-tombe d'un homme qui ressuscitait si volontiers les morts.

> « Mon père m'appelait toujours son petit agneau sans tache »

Reste que, comme la vie et l'amour, la création est nourrie de rencontres réelles ou imaginaires.

Qui sont donc celles et ceux qui amenèrent ce fils d'épicier à devenir une star ? La mère, pour ces premières années qui font l'essentiel de ce que nous sommes ? La femme qui partagea sa vie ou celles qui donnèrent matière à ses rêves : Ingrid Bergman, Grace Kelly, Tippi Hedren... ? Le producteur David O. Selznick qui l'imposa à Hollywood ? Ses acteurs fétiches : Cary Grant et James Stewart ?

Sans doute. Mais aussi un homme sans visage qui fut le plus énigmatique criminel de tous les temps...

Il dut naître dans les années 1860. Sans doute en Angleterre. On ne sait rien de lui ni de ce que furent son enfance et son adolescence.

Histoire de Jack

Beaucoup plus tard – pour être précis, en novembre 1888 – un témoin prétendit l'avoir reconnu et le décrivit comme un homme d'une trentaine d'années aux cheveux noirs et à la moustache frisée. Signalement bien maigre et de toute façon non vérifiable.

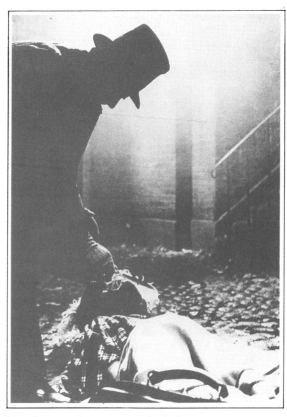

Une figure qui ne cessera de le hanter.

Cet inconnu fut l'homme le plus célèbre de son temps, sous le pseudonyme de Jack l'Éventreur. En 1866, Severin Klosowski naquit en Pologne puis émigra en Grande-Bretagne aux environs de 1887 pour s'installer, à

Londres au début du siècle : *La sixième victime de l'éventreur*, gravure d'époque.

Londres, l'année suivante, dans le quartier de Whitechapel. Cet ancien infirmier possédant quelques connaissances médicales et ayant pratiqué l'art de la dissection ouvre un salon de coiffure. Il y manie peut-être le rasoir avec dextérité mais sa renommée ne franchit pas son voisinage immédiat. Il ne connaîtra son heure de gloire que six ans plus tard sous le nom de George Chapman, emprunté à l'une de ses conquêtes.

En 1862, Joseph Hitchcock, épicier, et Ann Hitchcock (Irlandaise, née Mahoney) ont un fils qu'ils prénomment William, lequel épousera Emma Jane Whelan en 1886, deux ans avant que n'éclate la plus formidable énigme policière du XIXe siècle.

Dans ce Londres où William Hitchcock a repris la paisible activité de son père, un crime affreux est commis : le 31 août 1888,

le cadavre égorgé et mutilé d'une prostituée (Mary Ann Nicholls) est découvert. Ce meurtre sadique sera suivi, le mois suivant, de trois autres marquant une effrayante progression dans l'horreur. On s'interroge sur l'instrument utilisé par l'insaisissable maniaque : baïonnette, couteau de boucher ou... scalpel ? L'affaire de Jack l'Éventreur vient de naître. Elle ne sera jamais élucidée bien que tout Scotland Yard ait été mobilisé. Le plus mystérieux assassin de l'histoire rencontrera sa sixième et dernière victime le 18 juillet 1889 puis disparaîtra à tout jamais. L'année suivante George Chapman émigre aux États-Unis et ouvre un salon à Jersey City tandis qu'Emma Jane Hitchcock donne naissance, en septembre, à son premier fils. L'épicerie familiale prospère et la famille s'agrandit d'une fille en 1892.

Les affaires sont-elles mauvaises à Jersey City (où, soit dit en passant, des meurtres horribles sont commis ces années-là) ? George Chapman revient en Grande-Bretagne en 1893. Entre 1897 et 1902, il empoisonnera à tour de rôle ses trois compagnes successives avant d'être arrêté et pendu en 1903. On ne manqua pas d'établir d'étonnantes correspondances entre l'ancien infirmier et le dépeceur de prostituées. George Chapman était-il Jack l'Éventreur ?

À quatre ans, le troisième et dernier-né de la famille Hitchcock n'a pas encore l'âge où l'on se pose ces questions. Né le 31 août 1899, ses parents l'ont prénommé Alfred.

À peu de chose près, Alfred Hitchcock est encore un homme du XIXᵉ siècle. Mais lorsqu'il commence à ouvrir ses yeux d'enfant sur le monde, celui-ci vient d'entrer dans une ère nouvelle : celle du progrès foudroyant des techniques et des derniers soubresauts des sociétés qui meurent.

Déchaînant les passions, la tour Eiffel, chef-d'œuvre de l'avant-garde architecturale, est achevée. Elle doit constituer l'un des fleurons de l'Exposition universelle qui s'ouvre à Paris le 14 avril 1900. Après quoi elle sera démontée. On sait ce qu'il en advint. Mais, tandis que l'on inaugure la première ligne du métropolitain (10,300 km entre la Porte Maillot et la Porte de Vincennes), le projet de loi accordant aux fonctionnaires le droit de se syndiquer a été repoussé. Il est vrai qu'un autre vote vient de faire progresser les droits sociaux : désormais le travail des femmes et des enfants est limité à onze heures par jour !

De l'autre côté de la Manche, si le parti travailliste est né en février, on est surtout préoccupé par les craquements du Grand Empire. La guerre des Boers oppose les 100 000 conscrits des deux Républiques sud-africaines à 300 000 soldats britanniques. L'issue du conflit est incertaine et l'on parle de négocier. En Inde, 3 millions d'hommes meurent de faim tandis qu'en novembre de cette même année,

le sous-commissaire Jenner est assassiné en Somalie lors d'une émeute indigène. Plus près encore : le chef nationaliste irlandais John Edward Redmond appelle au soulèvement contre la Grande-Bretagne. La reine Victoria va disparaître le 22 janvier 1901.

Alfred Hitchcock a un an lorsque l'Exposition universelle présente aux spectateurs émerveillés les dernières nouveautés de l'invention des frères Lumière : tandis que Raoul Grimoin-Sanson propose le cinéorama sur un écran géant de vingt mètres, la maison Berthou synchronise la projection avec les scènes jouées ou chantées. Et Méliès a déjà tourné plus de cinquante films.

Lorsque le futur réalisateur de *Psychose* s'endort en suçant son pouce, il ignore qu'un neurologue autrichien vient de publier *La Science des rêves*. Cet innovateur scandaleux prétend que le songe est l'expression des frustrations et des désirs refoulés par les censures. Il se nomme Sigmund Freud.

Chef-d'œuvre de l'avant-garde architecturale, elle déchaîne les passions.

L'enfant a quatre ou cinq ans : son père l'envoie au poste de police porteur d'une lettre pour le commissaire. Ce dernier la lit puis enferme le bambin pour quelques minutes dans une cellule en lui déclarant : « Voilà ce qu'on fait aux petits garçons méchants. » Hitchcock lui-même a souvent raconté cet épisode, ajoutant qu'il ignorait le motif de cette leçon donnée par son père. *Jeune et innocent*, déjà !

Les angoisses du petit Alfred

Bien entendu, il serait absurde de vouloir distinguer dans les menus événements de ces premières années les germes des œuvres futures : l'ambiance familiale est parfaitement conforme aux normes d'un foyer paisible. On y est rigoureux sans sévérité excessive et l'on vit dans une aisance certaine. William Hitchcock adore la nourriture : son fils en héritera le goût et comme il répugne par ailleurs à pratiquer un quelconque exercice physique, il acquiert très tôt sa célèbre rondeur.

Une rue de Londres vers 1900.

Quelqu'un pourtant va exercer une influence considérable sur un enfant solitaire par goût et craintif par tempérament : lorsque son père commence à ressentir de sérieux ennuis de santé, sa mère assurera l'essentiel de son éducation.

Curieusement Hitchcock parlera peu d'une femme qui compta beaucoup. Au point de l'accompagner encore lorsque adulte il partait en week-end avec sa femme. Parfois il lui échappe une confidence, comme ce rappel d'un étrange cérémonial qui le vit se soumettre chaque soir, au pied du lit de sa mère, à de curieuses confessions.

Les enfants ont peur du noir; Alfred, lui, selon ses propres paroles, a « peur de tout ». Quel est ce tout ? Mystère. Levons un coin du voile : élevé dans une religion minoritaire, il est envoyé très jeune au collège catholique de Saint-Ignatius. Il y suivra des études classiques sans grand relief mais en retirera la hantise de la férule en caoutchouc très dur, alors encore en usage. Et l'adulte de reconnaître que la terreur conjointe de la police, des pères jésuites et des châtiments corporels allait nourrir ses futures inspirations.

Mais, pour l'instant, cet enfant calme et renfermé n'éprouve de passion que pour

Le jeune Hitchcock se passionne pour les bateaux et passe des heures sur les docks de Londres (gravure d'époque, Gustave Doré).

les bateaux dont il connaît les horaires et les itinéraires par cœur. Il visite le célèbre « Black Museum » de Scotland Yard comme plus tard il se rendra au musée des Horreurs de Paris. Y prend-il goût ?

L'homme qui symbolise tout à la fois le mystère et la double répulsion pour le crime et la prostitution reste le plus pur symbole d'une société marquée par un solide barrage moral à l'égard du sexe, du péché et de la mort. Jack l'Éventreur sera le personnage principal de l'un de ses premiers films.

En 1913, il quitte Saint-Ignatius pour sept années d'études complémentaires. Toutes les biographies d'artistes comportent des traits

Un adolescent trop tranquille...

d'indépendance voire de révolte par rapport au milieu familial ou au carcan scolaire; lui révèle un solide non-conformisme – il ne veut être ni policeman, ni capitaine au long cours, mais ingénieur ! Il s'initie donc à diverses techniques allant de l'électricité à la mécanique en passant par l'acoustique. En parallèle, il suit des études de dessin à la section des beaux-arts de l'université de Londres. La vocation s'esquisse, d'autant que le jeune Hitchcock est devenu spectateur assidu d'un cinéma en pleine floraison. Mais lorsqu'il lit des revues ce sont, au lieu des « fans magazines », les très austères organes corporatifs ou techniques...

Déroutant personnage que cet adolescent secret, sérieux (trop sérieux ?) et d'une timidité maladive bien qu'il fût très tôt livré à lui-même. Encore une énigme ? Celle de l'apprentissage sentimental d'un jeune homme de dix-neuf ans qui subvient à ses besoins en travaillant à la compagnie du télégraphe Henley et ne connaît aucune des classiques initiations amoureuses. Celui qui dira plus tard : « À quinze ans j'ai été jeté de la voiture et ai dû marcher tout seul » ajoutera : « À vingt-trois ans, je n'étais jamais sorti avec une fille et je n'avais jamais bu un seul verre. » (*Le Cinéma selon Hitchcock*) Il se rattrapera largement par la suite (du moins sur la boisson). Mais pour l'heure, il est, à dix-huit ans, et selon sa propre expression, « très gros et très ambitieux ».

Alfred Hitchcock devient majeur en même temps que son siècle. Lequel – pour ce qui concerne l'Europe – vient de sortir du plus meurtrier des conflits. Avec le retour des « tommies » survivants, tout bascule, même dans la traditionnelle Albion. Le premier vol commercial Paris-Londres a lieu le 9 février 1919 et c'est un journal britannique, le *Daily Mail*, qui patronne la première traversée de

« Dans un documentaire, c'est Dieu le metteur en scène. Dans le film de fiction, c'est le metteur en scène qui est Dieu. Il doit créer la vie. »

l'Atlantique par deux pilotes anglais : Alcock et Brown. Les mœurs évoluent : élue à la Chambre des communes, lady Astor est la première femme à pénétrer dans cette auguste assemblée. Les robes sont décolletées très bas dans le dos et les

Apprentissages 1926-1934

années folles vont bientôt débuter, alors qu'en février de cette même année un certain Adolf Hitler rend public le programme en vingt-cinq points du parti ouvrier allemand. Chargé de la propagande, il a réussi à rassembler 2 000 personnes pour exposer des vues nationalistes et antisémites.

Comme Alfred Hitchcock, le cinématographe entre dans son âge adulte. Il y a vingt-cinq ans que les frères Lumière ont filmé l'entrée d'un train en gare de La Ciotat. L'école anglaise se montre, dès l'origine, des plus fécondes. Si, en 1897, R.W. Paul a filmé le

jubilé de Victoria, il met en scène deux ans plus tard à la fois *La Guerre des Boers* et *Les Derniers Jours de Pompéi*. Dès l'origine, le documentaire et la fiction feront bon ménage. Au cours des vingt premières années du XXᵉ siècle, le cinéma produit ses premiers chefs-d'œuvre et déjà les genres et les écoles se distinguent. Les premiers magiciens (Méliès, Cohl), les grands comiques (Max Linder, Fatty, Chaplin), les auteurs enfin (Feuillade, Gance, Pastrone, Griffith, Cecil B. De Mille, Lubitsch, Stroheim) nourrissent le manifeste de ce qui n'est pas encore le septième art.

Le premier film qui le marquera profondément. *Les Trois Lumières* - Fritz Lang (1921).

Alfred Hitchcock dévore la production américaine, mais, s'il se réclamera beaucoup de Griffith, une autre école revêtira pour lui une importance toute particulière : l'expressionnisme allemand. Des thèmes empruntant aux légendes germaniques l'obsession de l'horreur et de la mort sont restitués par la déformation des perspectives, par des maquillages et des mimiques outranciers, des éclairages baroques. L'année même où il subit le choc des *Trois lumières* de Fritz Lang, Hitchcock réalisera son premier film (resté inachevé) : *Number Thirteen.*

Auparavant et pendant deux années, il avait mis à profit sa connaissance du dessin pour entrer dans la profession comme créateur d'intertitres. Le cinéma, ne l'oublions pas, est encore muet et les cartons qui restituent les dialogues sont ornés de figurines qui en précisent le sens. Embauché par une compagnie américaine (Famous Players) qui a ouvert un studio en Angleterre, Hitchcock apprend par une activité apparemment subalterne les rudiments de la manipulation : les acteurs se contentant de mimiques élémentaires, les textes intercalaires donnent à l'action une coloration... ou une autre. Et le drame peut devenir comédie au gré de l'inspiration d'un titreur malicieux. C'est après tout l'essence même d'une œuvre qui sera basée sur l'incertitude, l'humour et le mélange des genres.

En cette période d'intense foisonnement où chacun, pourvu qu'il en ait le goût et le talent, peut parvenir à mettre en scène, Hitchcock franchit très vite les obstacles de l'apprentissage : le temps d'écrire quelques scénarios, de remplacer un metteur en scène défaillant, de mettre enfin la main à la pâte (*Number Thirteen*), le jeune glouton optique produit, à vingt-six ans, ses premières œuvres. Et ce n'est pas un hasard si celle qu'il appelle lui-même le premier « Hitchcock picture » est consacrée à Jack l'Éventreur.

Docteur Hitchcock and Mister Jack

Lorsque la porte s'ouvre sur le voyageur vêtu d'une cape noire et tenant à la main un sac de cuir, chacun dans la maison frissonne : le père, la mère, leur fille. C'est que la ville est terrorisée par un mystérieux assassin qui ne s'en prend qu'aux femmes blondes et tue toujours un mardi. L'homme désigne la pancarte : chambre à louer; Mrs Jackson s'efface pour le laisser monter à l'étage. Est-il l'homme que toute la police recherche ? Par jalousie, le fiancé de Daisy Jackson (il est détective) va tout mettre en

The Mountain Eagle (1926).

œuvre pour confondre ce mystérieux locataire

24

qui, au premier étage, marche interminablement de long en large. En fait, il est innocent et échappera in extremis à la foule qui veut le lyncher alors que le véritable meurtrier vient d'être confondu.

Dans son projet d'origine, Hitchcock souhaitait que

Le premier modèle de Jack l'Éventreur... *Les Cheveux d'or* (1926).

l'homme retournât à la nuit dont il était issu sans que l'on soit fixé sur sa culpabilité ou son innocence. Mais l'acteur Ivor Novello était trop populaire pour que les producteurs acceptent une fin aussi ouverte. Reste que *Les Cheveux d'or* aborde l'un des futurs thèmes hitchcockiens : celui de l'innocent persécuté, du faux coupable englué dans un faisceau de présomptions. Et puis il y a – déjà – un escalier de bois qui annonce celui de *Psychose* et un premier étage mystérieux où il ne fait pas bon pénétrer. Hitchcock, enfin, consacre, par une étrange symétrie du hasard, son premier sujet personnel au personnage qui lui fournira l'argument de son avant-dernier film : Jack l'Éventreur sera, quarante-quatre ans plus tard, le modèle du monstre de *Frenzy*.

Si ses deux premiers films (*Pleasure Garden, Mountain Eagle*) n'avaient obtenu qu'un succès d'estime, *Les Cheveux d'or* est plébiscité par le public. Avec trois films réalisés en dix-huit mois, Hitchcock a démontré un professionnalisme étonnant chez

**Sept ans de réflexion...
1927-1934**

un débutant : on lui laissera désormais les coudées franches. Il va en profiter pour expérimenter à sa guise les artifices du cinéma. Mais aussi les plaisirs du couple : le 2 décembre 1926, il épouse Alma Reville, scénariste à la Famous Players, dont il avait demandé la main deux ans auparavant.

Alfred Hitchcock vient de signer pour quarante-deux ans de vie conjugale et professionnelle ininterrompue. Ils auront une fille; il réalisera cinquante-quatre films.

Hitchcock est avant tout un grand *professionnel*. Tout le contraire d'un artiste maudit. S'il a sur la mise en scène des idées originales (il le démontre dès ses premiers films) et sur les sujets à traiter quelque

The Maxman
(1929)

prédilection pour l'étrange et le morbide, il sait aussi qu'il lui faut composer avec le public et surtout apprendre son métier.

Contrairement à certains qui s'affirmèrent d'entrée,

Laquelle des trois ? (1928).

il lui fallut près de quinze films pour forger son registre définitif. En attendant, il accepte les sujets qu'on lui propose : ces sept années le verront aborder indifféremment (mais sans indifférence) les genres les plus demandés à l'époque. D'abord l'adaptation de pièces de théâtre naïvement mélodramatiques. Ainsi *Down Hill* (1927), adapté d'un drame d'Ivor Novello, narre l'édifiante histoire d'un jeune homme injustement accusé d'un vol (tiens ! tiens !) et qui, désavoué par ses parents, se rend à Paris où il rencontre une séduisante actrice, jusqu'au pardon final d'une famille rongée par le remords. De même, l'œuvre suivante (*Le passé ne meurt pas*, 1927, d'après Noel Coward) détaille par le menu

les malheurs de l'épouse d'un alcoolique qui
divorce après qu'un jeune artiste s'est tué
pour elle. Voyageant à l'étranger, la
malheureuse rencontre un séduisant

gentleman qu'elle épouse. Est-ce le bonheur,
enfin ? Hélas ! sa belle-famille découvre son
horrible passé et, condamnée au divorce, elle finira ses jours dans la
solitude et le dénuement. On ne plaisante
pas, en 1927, avec les plus saines traditions
anglaises et si plus tard il va remplir les
poches de ses producteurs, le crime, pour
l'instant, ne paie pas. Et Hitchcock continue
d'accumuler les mélos : deux boxeurs sont
amoureux de la même femme (*Le Masque de
cuir*, 1927); un fermier cherche une épouse
pour finalement épouser sa bonne (*Laquelle
des trois*, 1928); un garçon rencontre une
fille, la perd, la retrouve (*À l'américaine*,
1928). Dans *The Maxman*, enfin – son dernier
film muet –, un pauvre pêcheur et un riche
avocat sont également épris de la jolie Kate
(encore !). Se heurtant au refus paternel, le
premier part chercher fortune. On le croit
mort. Lorsqu'il revient, Kate l'épouse; mais
l'enfant qui va naître est de l'avocat : drame
dans la chaumière...

Bien entendu toutes ces comédies tournées
au temps du muet auraient à tout jamais

Une préfiguration de l'univers hitchcockien. *Chantage* (1929).

sombré dans l'oubli si la célébrité de leur auteur ne les avait ressuscitées beaucoup plus tard. Interrogé quarante ans après par François Truffaut sur cette période de sa carrière (*Le Cinéma selon Hitchcock* :

Hitchcock, déjà

composé intégralement d'un long entretien, le meilleur ouvrage jamais consacré à Alfred Hitchcock), l'auteur reconnaît avec humour et lucidité que la plupart de ces œuvres étaient banales, voire médiocres : « J'ai honte de vous le raconter » (*Le passé ne meurt pas*); « C'est probablement ce qu'il y a de plus bas dans ma production » (*À l'américaine*); « Le film était très ordinaire, sans humour » (*The Maxman*).

Pourtant, le futur sorcier de l'image commence à montrer le bout de son nez en expérimentant toutes les ressources d'un langage encore balbutiant : formidable école que celle du muet qui oblige à tout signifier par l'image, et surprenante virtuosité de celui qui innove avec bonheur. Filmant en 1927 les docks de Marseille avec une caméra portable (*Down Hill*),

Tous les ingrédients...
déjà !
Chantage (1929).

préfigurant l'effet de zoom (*Le passé ne meurt pas*) ou traitant toute une intrigue d'un point de vue subjectif (les personnages de *Laquelle des trois*, en 1928, s'adressent directement à la caméra), Hitchcock expérimente sans cesse. Si les films de cette époque connaissent des succès publics divers, la critique commence à s'intéresser à lui. Le voici fin prêt pour son premier grand film à suspense. Réalisé en 1929, *Chantage* est le premier film anglais parlant : entrepris en

Chantage (1929).

muet, il fut terminé en version sonore. Mais c'est surtout une préfiguration exhaustive de l'univers hitchcockien : à la suite d'une dispute avec son amoureux (Frank, qui est inspecteur de police), Alice accepte l'invitation d'un inconnu. Celui-ci tente d'abuser de la jeune femme qui le tue d'un coup de couteau. En s'enfuyant, elle est aperçue par un témoin qui tente de la faire chanter. Chargé de l'enquête, et bien qu'il soupçonne Alice, Frank va persécuter le maître chanteur jusqu'à ce que ce dernier, poursuivi par la police, se tue en tombant à travers une verrière. Alice est sauvée. Étonnant scénario d'un cynisme absolu, qui voit un policier protéger la coupable tandis que deux hommes – certes peu recommandables l'un et l'autre – ont trouvé la mort. Comme il ne cessera ensuite de le faire, Hitchcock prend également à contre-pied les valeurs traditionnelles et le déroulement de l'intrigue policière : dès le départ, au contraire des protagonistes, le spectateur connaît la coupable. C'est ce point de vue privilégié qui crée l'essentiel du fameux « suspense » que le maître définira plus tard par cette formule : « Nous parlons et soudain une bombe explose sous la table : voici quinze secondes de surprise. Mais si le public a vu l'anarchiste la déposer avant que nous nous installions, que la pendule présente dans le décor marque douze heures moins le quart et que l'engin soit réglé sur midi, j'offre au spectateur quinze minutes de suspense. » (*Le Cinéma selon Hitchcock*)

Chantage (1929).

L'HOMME QUI EN SAVAIT TROP
(The Man who knew too much)

1ère version (1934) : avec Leslie Banks (Bob Lawrence), Edna Best (Jill Lawrence), Peter Lorre (Abbot), Pierre Fresnay (Louis Bernard).

2e version (1955) : avec James Stewart (Ben Kenna), Doris Day (Jo), Daniel Gélin (Louis Bernard).

Avant de mourir, Louis Bernard, un espion, révèle à Jill et Bob Lawrence qu'un diplomate étranger doit être assassiné. Pour les empêcher de parler, on enlève leur fille. Doivent-ils révéler ce qu'ils savent aux autorités et donc mettre leur fille en danger ? Le crime devant être exécuté lors d'un concert à l'Albert Hall, Jill et Bob interviendront in extremis pour l'empêcher.

Ainsi en est-il de l'intrigue de *Chantage* qui ménage de multiples rebondissements. Alice pouvant être confondue à tout instant par son fiancé comme par le maître chanteur, nous partageons sa peur et ses obsessions : un simple couteau à pain lui rappelle l'arme du crime, tandis qu'Hitchcock met en scène ses premiers vertiges. Une arme blanche qui resservira souvent, une poursuite au-dessus du vide qui en annonce bien d'autres et surtout ce premier portrait d'une jeune femme à la fois naïve et secrètement troublée par l'homme qui l'entraîne dans son studio : les jouets sont dans la hotte. Mais le Père Noël enlève sa fausse barbe... Horreur : c'est Belzébuth !

S'il continue à produire avec une belle régularité (sept films entre 1930 et 1934), Alfred Hitchcock va définitivement triompher en signant coup sur coup un immense succès commercial et un premier chef-d'œuvre. *L'Homme qui en savait trop* est réalisé en 1934, *Les*

Trente-neuf Marches l'année suivante. Le premier est unanimement salué par la critique anglaise qui voit dans « cette histoire violente et insensée (...) un mélodrame criminel, le meilleur de la saison, battant Hollywood sur son propre terrain ». Il connaîtra un immense succès en Angleterre, mais aussi aux États-Unis. Double triomphe qui mènera Hitchcock (fait rarissime dans les annales du cinéma) à en réaliser lui-même le remake vingt-deux ans plus tard. Le scénario dose à la perfection les ingrédients préférés du maître : l'humour, les poursuites, le suspense, et culmine par un final célèbre entre tous (avec le meurtre sous la douche de *Psychose*, l'irruption de l'assassin dans *Fenêtre sur cour*, l'arrivée de l'avion dans *La Mort aux trousses* ou *Les Oiseaux* se perchant dans la cour de l'école).

Hitchcock, enfin

Un de ses premiers succès :
L'Homme qui en savait trop (1934).

Un diplomate doit être assassiné au cours d'un concert donné à l'Albert Hall de Londres et le spectateur sait que le coup de feu coïncidera avec un coup de cymbales. Au fur et à mesure que la symphonie se déroule, la tension monte jusqu'à ce que le musicien se saisisse de ses instruments alors même que l'assassin sort son pistolet. Dans le remake de 1956, le cri poussé par Jo, une fraction de seconde avant que le coup parte, sauve la vie de la future victime qui, surprise, fait un léger écart. Puis Ben se précipite dans la loge du tueur qui se tue en tombant du balcon. Au propre comme au figuré, cette séquence est magnifiquement orchestrée. Hitchcock lui-même le confirmera plus tard en déclarant : « La première version a été faite par un amateur de talent, tandis que la seconde l'a été par un professionnel. » Signalons enfin, pour la petite histoire, que le rôle (bref, et pour cause) du Français assassiné au début du film fut tenu par Pierre Fresnay en 1934

L'Homme qui en savait trop (1934).

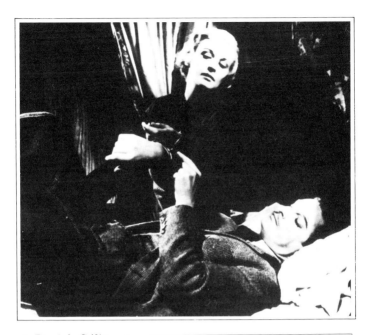

Les Trente-neuf Marches (1935).

et Daniel Gélin en 1956. Mais revenons en 1935 où, fort de son triomphe, Hitchcock tourne immédiatement l'un des films qu'il considère lui-même comme essentiel.

Les Trente-neuf Marches suffirait à lui seul à résumer, synthétiser, expliquer l'art d'Alfred Hitchcock; en tout cas à justifier sa fameuse formule : « Certains tournent des tranches de vie, moi je propose des tranches de gâteau. » Pour la première fois entièrement libre de ses choix et de ses moyens, Hitchcock fait fi de toute vraisemblance pour construire une mécanique d'une telle précision qu'elle impose sa propre logique comme irréfutable. Au-delà de tous les artifices techniques, là réside son incomparable maestria : raconter *une histoire* et mettre en scène des individus *quelconques* (dans lequel le public se reconnaîtra) qui se trouvent mêlés, par hasard, à des événements extravagants. Le tout filmé à un rythme d'enfer car, comme il le rappelle souvent : « Le drame, c'est une vie dont on a éliminé les moments ennuyeux. » Comme ce sera ensuite souvent le cas, un innocent accusé à tort sillonne le pays pour échapper à la fois aux espions et à la police : sur cette très simple intrigue Hitchcock brode les variations les plus réjouissantes, accumule les trouvailles visuelles et sonores, alterne le comique et le tragique, bref, construit un joyau spectaculaire qui jouit, depuis quarante années, d'une égale popularité.

Aucun des deux remakes réalisés en 1960 par Ralph Thomas et en 1970 par Don Sharp ne purent détrôner ce divertissement parfait. Comme pour *L'Homme qui en savait trop*, l'accueil est enthousiaste aux États-Unis. Bien entendu, les producteurs d'outre-Atlantique s'intéressent de près au jeune prodige anglais qui bat leurs compatriotes sur un terrain où ils entendent régner en maîtres. Mais, bien qu'il reconnaisse

LES TRENTE-NEUF MARCHES
(The thirty-nine steps)
(1935)

Avec Madeleine Carroll (Pamela), Robert Donat (Richard Hannay), Lucie Mannheim (Anna-bella Smith), Godfrey Tearle (professeur Jordan).

Une espionne anglaise, miss Smith, est poignardée. Avant de mourir, elle donne à Richard Hannay suffisamment d'informations pour qu'il se lance aux trousses des coupables à travers tout le pays. Au terme de ce voyage, il prouvera son innocence, mais surtout arrivera à une meilleure connaissance de lui-même.

s'être nourri aux sources américaines et constate le caractère limité du cinéma anglais, Hitchcock refuse systématiquement les propositions qui lui sont faites.

Est-ce la séduction de la vie de famille ? Sa fille Patricia est née en 1928 et son statut de metteur en scène à succès lui permet de partager douillettement son existence entre un luxueux appartement londonien et un manoir dans le Surrey où ils passent leurs week-ends. N'est-ce pas surtout l'envie de se faire désirer ? Dans la vie *aussi*, Hitchcock sait manier le suspense. Mais Hollywood n'est-il pas inévitable ? Un personnage singulier le pense à qui rien ne résiste.

Hitchcock en famille...

LES ANNÉES AMÉRICAINES

Cary Grant, Ingrid Bergman dans *Les enchaînés.* (1946).

David O. Selznick fait alors partie des jeunes loups d'Hollywood. Un film va le hisser sur un piédestal de rêve : Autant en emporte le vent, sur lequel il travaillera de 1936 à 1940 pour façonner le plus immense succès de l'histoire du cinéma. Laissons-lui le soin de se décrire lui-même lorsqu'il écrit à Irene Mayer qui deviendra sa femme : « Mon ange, j'ai pensé à toi et j'ai décidé de t'épouser si tu veux bien. Je suis certes entre deux âges, j'ai un orteil en marteau et je bute dans tout. Je suis un ex-arrogant et jadis je voulais être un type important. Je renifle bruyamment, je bois en abondance, je me pelotonne (c'est-à-dire me blottis) sans pudeur, je travaille excessivement, je joue avec enthousiasme. Et mon avenir touche à sa fin, mais je suis grand et juif et je t'aime... » Et il signe « David-en-quête-de-sa-moitié » cet étonnant autoportrait où se mêlent l'humour, l'orgueil et la lucidité.

Histoire de Rebecca

« Vous connaissez l'histoire des deux chèvres qui sont en train de manger les bobines d'un film adapté d'un best-seller et l'une dit à l'autre : "Moi je préfère le livre". »

C'est dès 1937 que Selznick, en pleine préparation d'Autant en emporte le vent, songe à Hitchcock et se renseigne sur ses exigences en matière de salaire. En janvier

PRÉSENTE

Rebecca

d'après le roman de DAPHNE DU MAURIER

avec

LAURENCE OLIVIER · JOAN FONTAINE

GEORGE SANDERS · JUDITH ANDERSON

Mise en scène ALFRED HITCHCOCK · *Production* DAVID O. SELZNICK

1938, il lui écrit pour envisager *Rebecca* dont le tournage ne débutera en fait que deux ans plus tard. Entre-temps, Hitchcock réalisera encore deux films en Angleterre : son célèbre *Une femme disparaît* (1938) et *La Taverne de la Jamaïque* (1939). Durant cette période, Selznick travaillera, selon la méthode qui lui est propre (c'est-à-dire s'occuper et décider de *tout*), à son projet d'adaptation du best-seller de Daphné du Maurier. Encore qu'il ait d'abord envisagé de faire tourner par Hitchcock l'histoire du *Titanic*.

Procédant par ses célèbres mémos et télégrammes, il écrit à Londres le 4 mai 1938 : « Nous devrions commencer vers la mi-août (...). Hitchcock pourrait emmener un

scénariste avec lui et travailler en route pour gagner du temps. » Mais, en parallèle, cet ahurissant bourreau de travail pense « aussi » à *Rebecca* et aux problèmes posés par l'histoire d'un homme qui a tué sa femme. Prévoyant les réactions d'une censure à l'époque impitoyable, il suggère que le héros ne sache pas vraiment s'il a ou non commis ce meurtre. Le 7 septembre, il récidive auprès du « cher Hitch » en lui proposant pour *Titanic*, qui serait suivi par *Rebecca*, une batterie de scénaristes. Mais deux mois plus tard il n'y tient plus et écrit à nouveau à Londres pour suggérer quelques idées. En particulier de faire raconter l'histoire à la première personne... et termine prudemment par : « J'aimerais que vous y réfléchissiez un peu. » Hitchcock se met au travail et fournit une adaptation écrite sous sa direction par Philip Mac Donald et Joan Harrison.

Joan Fontaine, Laurence Olivier et Florence Bates. *Rebecca* (1940).

À sa réception le tonnerre éclate et Zeus Selznick adresse au réalisateur un mémo de douze pages débutant par : « Il me revient la tâche fâcheuse et désagréable de vous dire que j'ai été choqué et déçu au-delà de toute expression par l'adaptation de *Rebecca*. Je la considère comme une version déformée et vulgarisée... » Suivent de longues et précises considérations se terminant par le bruit sec et métallique d'une décision en forme de couperet :

REBECCA (1940)

Avec Joan Fontaine (la seconde Mme de Winter), Laurence Olivier (Max de Winter), Judith Anderson (Mme Danvers), George Sanders (Jack Favell).

Dame de compagnie d'une riche Américaine, une jeune fille rencontre à Monte Carlo un veuf, Max de Winter, qui lui propose de l'épouser. Elle accepte, et l'accompagne à Manderley, immense résidence anglaise des de Winter. Mme Danvers, la gouvernante, y perpétue le culte de la première épouse de Max, Rebecca, sans cacher son hostilité à la seconde. Il s'avère que Rebecca était égoïste et cruelle et qu'elle a maquillé son suicide afin que Max soit accusé de meurtre. Manderley sera entièrement détruit dans l'incendie allumé par Mme Danvers, qui y périra, pour préserver le secret de la mort de sa maîtresse follement aimée. Les jeunes époux sont enfin délivrés du doute.

« J'en arrive avec regret à la conclusion que nous devrions écrire une nouvelle adaptation, probablement avec une nouvelle équipe de scénaristes. »

Hitchcock, tout à la fois, sent la volonté de fer du personnage, souhaite vivement travailler à Hollywood et n'a pas encore acquis la stature qui lui permettra plus tard de devenir à son tour un tyran absolu;

> Entre le romantisme et l'ambiance morbide. *Rebecca* (1940).

il cède sur tous les points soulevés par son producteur, lequel se débat alors dans le choix des comédiens. S'il sélectionne immédiatement le très romantique Laurence Olivier pour tenir le rôle de Maxime de Winter, il est très réservé sur Vivien Leigh, craignant les effets de la passion qui unit à cet instant les amants les plus célèbres d'Amérique. Et il écrit le 27 juin 1939 : « J'ai trop de soucis pour ma tranquillité d'esprit durant les mois d'août et de septembre quand un certain jeune homme sera dans les parages... » Contrairement à une légende couramment rapportée par les éditorialistes, ce n'est pas Vivien Leigh qui refusa le rôle, mais bien Selznick qui la récusa. Dans un télégramme du 18 août 1939, il lui transmit ces phrases terribles : « Chère Vivien, nous avons essayé de vous faire croire jusqu'à ce jour que vous pourriez jouer Rebecca, mais j'ai le regret de devoir vous dire que nous sommes en définitive convaincus que vous êtes aussi peu faite pour le rôle que le rôle le serait pour vous. »

Et cet étonnant personnage envoie le même jour à Laurence Olivier ce pertinent commentaire : « Le vif désir qu'a Vivien de jouer le rôle vient, à mon avis, en grande partie sinon entièrement, du plaisir qu'elle aurait à tourner un film avec vous, ce qui est largement démontré par son manque total d'intérêt pour le rôle. »

Après avoir passé en revue tout ce qu'Hollywood comptait d'actrices possibles et éliminé les plus grands noms, Selznick revint paisiblement à sa première idée et imposa Joan Fontaine dont personne ne voulait en raison d'une froideur qui l'avait fait surnommer la « femme de bois ».

Le célèbre producteur manifesta-t-il une fulgurante intuition en préfigurant ainsi les futures héroïnes hitchcockiennes ? Il continua en tout cas à chaperonner son metteur en scène avec le soin maniaque qu'il mettait à tout régenter. Son mémo du 19 septembre constitue – avec le recul – un chef-d'œuvre d'humour

Joan Fontaine, Laurence Olivier.

noir. David O. Selznick y explique en détail à l'un des plus prodigieux techniciens du cinéma l'art de choisir le bon angle et ne craint pas d'écrire à ce prestigieux conteur : « Si le scénario est dans cet état, cela vient de votre peu d'empressement à adapter plus fidèlement le livre, bien que je vous aie incité à le faire pendant des mois. » Et il ajoute enfin : « Il faudrait que vous corrigiez diverses choses dans vos méthodes de tournage... car personne à Hollywood ne les supporterait. Alors nous ferions mieux de vous serrer la vis pour ce film. »

Précisons que Selznick, en définitive, ne fit pas parvenir ce texte à son destinataire. Encore une intuition ?

Finalement, le premier film hollywoodien d'Hitchcock connut un grand succès public mais surtout remporta de nombreux prix dans le monde entier; dont l'Oscar. Est-ce le souvenir des humiliations qu'il dut subir ? L'auteur renia cette œuvre dont il disait : « Ce n'est pas un film d'Hitchcock. C'est une sorte de conte... une histoire assez vieux jeu. » Reste que, malgré un canevas romanesque qui lui est imposé, le maître du mystère y entretient avec subtilité une ambiance morbide autour de la femme disparue. La présence angoissante du portrait de la défunte, les apparitions troublantes de l'omniprésente et perfide gouvernante, l'ambiance éprouvante d'une maison isolée enferment la jeune héroïne dans un faisceau de terreurs.

Comme toujours chez Hitchcock, seule l'apparence est fantastique, mais si le happy end est de rigueur, on perçoit ici deux thèmes qui lui sont essentiels : celui de la maison isolée, celui de la mère terrible qui personnifie la haine, la jalousie, le pouvoir des morts sur les vivants comme celui du passé sur le présent.

Un confortable résultat commercial et un début de reconnaissance de son statut d'auteur : l'Anglais émigré n'a pas raté son entrée aux U.S.A. Mais son pays d'adoption vit une époque particulièrement troublée.

Alors qu'Alfred Hitchcock préparait *Rebecca*, les Allemands sont entrés à Prague puis en Pologne après que Hitler eut annexé l'Autriche et les Sudètes.

Le 3 septembre 1939, la France et l'Angleterre entrent en guerre. Le 15 décembre de la même année, la première à Atlanta d'*Autant en emporte le vent* symbolise une époque qui s'achève, celle du flamboiement d'Hollywood, de quarante années d'une production unique au monde où se mêlent les genres les plus variés et les plus populaires : comédies, westerns, fresques historiques, sagas romantiques, films musicaux ou fantastiques imposent l'image des immortels du cinéma. Cette année-là, le prestigieux John Ford présente l'un de ses chefs-d'œuvre, *La Chevauchée fantastique*. S'y impose la figure d'un géant taciturne de

Un cinéma d'intervention

Correspondant 17 (1940).

trente-deux ans qui jusqu'à sa mort en 1979 incarnera comme personne l'Amérique des pionniers : John Wayne.

Tandis que la France est occupée et que la bataille d'Angleterre débute, l'Amérique se tient encore à l'écart du conflit, partagée entre interventionnistes et non-interventionnistes. Pourtant, rien ne sera plus jamais comme avant. Parfois le symbole précède le fait : en novembre 1940, la première jeep, prototype révolutionnaire d'un véhicule à usage militaire, sort des usines Willys; mais il faudra attendre le 7 décembre 1941 pour que le désastre de Pearl Harbour précipite les U.S.A. dans la guerre. Les hommes de spectacle vont y participer :

Gary Cooper.
Sergent York,
de Howard
Hawks (1941).

si Chaplin, en génial précurseur, a dès 1940
réalisé contre vents, marées et menaces son
Dictateur, les plus grands réalisateurs vont
proposer des œuvres de fiction (Hawks :
Sergent York, *Air Force*), de propagande
(Capra lance la série *Pourquoi nous
combattons*), voire de reportage; ainsi John
Ford filmera-t-il en personne *La Bataille de
Midway*. Américain d'adoption, anglais
d'origine, Alfred Hitchcock a toutes les
raisons de contribuer à cet effort de guerre.

Correspondant 17 (1940).

Il le fera à sa
manière avec
Correspondant 17,
Cinquième Colonne et *Lifeboat*.

À dire vrai, ce libéral humaniste n'a pas
attendu que le conflit éclate pour témoigner
d'une vigoureuse position anti-nazie : dès
1932 (*Number Seventeen*), des Allemands
apparaissent impliqués dans des affaires
d'espionnage. Puis la menace se précise avec
L'Homme qui en savait trop (1934), *Les
Trente-neuf Marches* (1935), *Quatre de
l'espionnage* (1936) et surtout, la même

année, *Agent secret* où il désigne clairement les ennemis de l'intérieur : de respectables Anglais traîtres à leur pays. Même une œuvre de pur divertissement comme *Une femme disparaît* (1938) débute en Autriche, où des Anglais sont en vacances, et dénonce clairement l'aveuglement de certains devant la réalité de l'hitlérisme.

C'est donc tout naturellement qu'Hitchcock va mettre en scène des films cette fois directement interventionnistes. Si *Correspondant 17* (1940) se déroule à Londres en 1939, *Cinquième Colonne* (1942) voit un réseau pro-nazi opérer sur le territoire même des États-Unis. Dans un final qui fiance le morceau de bravoure au symbole, le héros est poursuivi jusqu'au sommet de la statue de la Liberté. *Lifeboat* enfin (1943) réunit dans un canot de sauvetage un microcosme social :

Hitchcock sera le premier à exploiter une personnalité plus étrange qu'en apparence : *Soupçons* (1941).

une journaliste mondaine, un millionnaire fasciste, un ouvrier noir, un sympathisant communiste et un matelot s'y trouvent confrontés à un nazi. S'ils se liguent pour finalement le rejeter à la mer, ils recueilleront peu après un jeune marin allemand. On le voit : Hitchcock n'est pas l'homme des propagandes primaires et, même au cœur du combat, son goût pour les situations troubles et les personnages ambigus demeure. Il est vrai que nous sommes en 1944 et que la guerre s'achève. Et qu'entre-temps Hitchcock s'est imposé par deux chefs-d'œuvre : *Soupçons* (1941) et *L'Ombre d'un doute* (1943). Le premier étant marqué par sa rencontre avec Cary Grant.

La beauté du diable

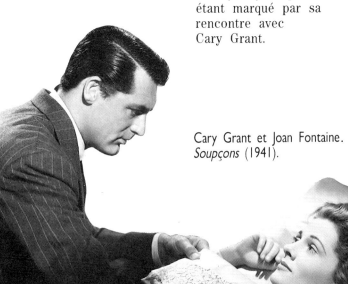

Cary Grant et Joan Fontaine.
Soupçons (1941).

Star : s'il n'avait déjà existé, on aurait pu créer le terme pour cet inégalable comédien qui présente sans nul doute la carrière la plus longue, la plus régulière, la plus éclatante qui soit. Né en 1904 à Bristol, ce Britannique bon teint alliait à ses larges épaules, à sa silhouette idéale une technique parfaite doublée d'une rare élégance. Qualité que Cary Grant sut pratiquer jusqu'au bout, s'offrant le luxe rare d'interrompre volontairement et en pleine gloire une carrière qu'il estimait suffisamment remplie.

En 1941, et même s'il donne quelques gages au film d'aventures (*Gunga Din*, *Seuls les anges ont des ailes*), Cary Grant est catalogué comme personnage de comédie. Lorsqu'il l'engage pour *Soupçons*, Hitchcock sera le premier à deviner et exploiter une personnalité plus étrange que son apparence. À bien considérer ce visage, on y pressent en effet un secret bien gardé. Pour reprendre une expression contemporaine, il est « trop ». La chevelure ordonnancée à l'extrême, la raie scrupuleusement tracée, le profil rigoureusement dessiné, la fameuse fossette ponctuant la parfaite géométrie d'un menton

SOUPÇONS
(Suspicion) (premier film tourné aux U.S.A., 1941)

Avec Cary Grant (John Aysgarth), Joan Fontaine (Lina Mackinlaw), Nigel Bruce (Beaky Wells), Sir Cedric Hardwick (général Mackinlaw).

Malgré l'opposition de ses parents, une jeune bourgeoise provinciale anglaise épouse un homme séduisant rencontré dans un train. Mais bientôt Lina découvre que le beau Johnnie est menteur, joueur, voire pire. Lorsqu'un ami dont il souhaitait la mort disparaît, la jeune femme commence à soupçonner son mari. Une vieille romancière à qui Johnnie a emprunté un livre traitant du crime parfait achève de briser les nerfs de la malheureuse qui pense que son compagnon veut l'empoisonner. En fait, Johnnie avoue qu'il songeait à son propre suicide; ils décident de repartir de zéro.

volontaire : le visage du beau Cary paraît une invention des dieux. Sans ride ni aspérité; bref, trop poli pour être honnête.

L'amour en rouge

Puis la statue s'anime; l'homme parle et dans ce mouvement le regard demeure étrangement fixe et froid tandis que la voix reflète alternativement une secrète tension et une étrange indifférence. Est-ce la fascination pour son exact contraire ? Le gros homme aux traits lourds va se projeter dans le prototype idéal du mâle américain.

Une anecdote étrange l'atteste – lorsque Ingrid Bergman, tournant en 1946 *Les Enchaînés* en compagnie de Cary Grant, devint l'objet des rêveries érotiques d'Hitchcock. C'est alors qu'il raconta pour la première fois que la volcanique Suédoise avait refusé, après un dîner à Bellagio, de quitter le lit du réalisateur jusqu'à ce que celui-ci lui fasse l'amour. Bien que la vie privée de l'actrice fût, en ce temps-là, particulièrement animée, l'histoire apparaît des plus invraisemblables, ne serait-ce que par la présence à cette soirée, outre de nombreux invités, du mari d'Ingrid et de la femme d'Alfred. Mais celui-ci tint bon et reprit souvent, en le nourrissant de mille détails, ce conte qui témoignait, à son insu, de

Le plus long baiser de l'histoire du cinéma. *Les Enchaînés* (1946).

l'identification maladive qu'il entretenait avec son interprète masculin. Aussi, lorsqu'il le met en scène pour la première fois, Alfred Hitchcock transforme-t-il ce charmeur candide en un personnage des plus troublants, même si le scénario finalement retenu édulcore beaucoup le sujet d'origine.

Le héros du roman (*Before the Fact*) est un assassin séduisant : sa nouvelle femme (Lina) découvre son véritable visage mais se laisse empoisonner par amour. Hitchcock avait imaginé une fin semi-morale : avant de boire le verre de lait empoisonné, Lina demande à son mari de poster une lettre dans laquelle elle le dénonce. Le dernier plan du film aurait montré Cary Grant jetant en sifflotant l'enveloppe dans une boîte. Admirable dénouement qu'Hitchcock ne pourra, hélas et comme pour *Rebecca*, imposer à une censure pointilleuse; surtout lorsqu'elle se double de la crainte des studios de voir se ternir l'image de la vedette. Mais c'est peut-être de cette contrainte que naît l'un des films les plus hitchcockiens qui soient. Johnnie n'est qu'un dissimulateur qui dilapide son argent, un banal escroc du charme; mais Lina qui le *croit* meurtrier va imposer à tous sa vision névrotique. Le moindre geste, la moindre coïncidence seront interprétés par elle comme une menace et l'angoisse qu'elle a ainsi communiquée au spectateur culmine

dans une séquence d'anthologie, lorsque Johnnie apporte à sa femme une boisson qu'elle pense empoisonnée. L'escalier lentement gravi par un Cary Grant énigmatique, la présence obsédante du verre de lait (qu'Hitchcock avait fait éclairer de *l'intérieur* !), le décor dessinant autour du personnage une ombre gigantesque transforment une situation des plus banales en un petit chef-d'œuvre de suspense. Mais, au-delà de l'habileté pure et malgré les concessions qui lui sont imposées, Hitchcock introduit dans ce qui constitue un évident tournant de son œuvre le thème de la frustration sexuelle, de la frigidité, des pulsions morbides. Il est cependant trop tôt pour qu'il puisse imposer une aussi choquante caricature de la *love story* à l'américaine : *Soupçons* constituera un échec public.

Cary Grant et Joan Fontaine
Soupçons (1941).

Le séducteur impénitent

D'abord acrobate, boy de revue et chanteur dans des comédies musicales, Cary Grant est, à vingt-cinq ans, le partenaire de Marlene Dietrich dans *La Blonde Vénus*, de Joseph von Sternberg. Dès lors, sa carrière ne connaîtra aucune éclipse et, pendant trente-cinq ans, il sera le roi incontesté de la comédie américaine.

Cet impénitent séducteur à la ville comme à l'écran se maria quatre fois et tint dans ses bras des générations de beautés hollywoodiennes, de Mae West à Leslie Caron en passant par Carole Lombard, Ingrid Bergman, Katharine Hepburn, Ginger Rogers, Grace Kelly ou Audrey Hepburn. Mais, tandis que ses partenaires abandonnaient le cinéma ou changeaient de registre, lui continuait sa carrière d'éternel play-boy miraculeusement préservé des attaques de l'âge. Passant en virtuose de la gaucherie à l'insolence, du flegme à l'ahurissement panique, il porte avec la même élégance nonchalante le smoking et le pyjama rayé. Et ce contemporain de Gary Cooper, Spencer Tracy ou Humphrey Bogart l'emporte haut la main dans le registre de l'homme à bonnes fortunes.

Les Enchaînés

(Notorious) (1946)

Avec Ingrid Bergman (Alicia Huberman), Cary Grant (Devlin), Claude Rains (Alexander Sebastian), Leopoldine Konstantin (Mrs Sebastian).

Alors que son père est accusé de crimes de haute trahison contre les États-Unis, Alicia est contactée par Devlin, un agent américain, qui lui propose de faire du contre-espionnage au Brésil afin de découvrir les secrets ennemis détenus par Alexander Sebastian. Bien qu'amoureuse de Devlin, qui le lui rend bien, Alicia engage une liaison « politique » avec Sebastian. Il l'épouse mais découvre bientôt, avec l'aide de sa mère, qu'Alicia est son ennemie. Ils tentent de l'empoisonner, mais Devlin la sauve in extremis. Sebastian devra rendre des comptes à ses complices...

En bon gestionnaire, Hitchcock se replie sur des positions commerciales en revenant en 1942 au film d'espionnage (*Cinquième Colonne*). Ce gros succès lui permet de revenir ensuite à ses thèmes favoris; *L'Ombre d'un doute* (1943) nous propose un héros assassin, tueur de veuves qui, démasqué par sa jeune nièce, tente à plusieurs reprises de l'assassiner. Deux années plus tard, *La Maison du Dr Edwards* (1945) sert de cadre aux étranges phobies d'un médecin fou et amnésique. Mais, si Gregory Peck incarne le personnage principal, Hitchcock n'a pas oublié Cary Grant. De surcroît, il vient de lui découvrir la partenaire idéale.

Lorsque Ingrid Bergman débarque à Hollywood en 1939, cette Suédoise de

dix-neuf ans a déjà tourné une dizaine de films (aujourd'hui oubliés) dans son pays d'origine. Mais, plus qu'un métier déjà très sûr, c'est son incroyable beauté naturelle, sa fraîcheur virginale, son romantisme retenu qui en firent l'enfant chérie du public américain. En six ans et huit films, elle donne la réplique aux plus populaires acteurs du temps. Victime de

Spencer Tracy (*Dr Jekyll and Mr Hyde*, 1941), amoureuse d'Humphrey Bogart (*Casablanca*, 1943), de Gary Cooper (*Pour qui sonne le glas*, 1945), de Gregory Peck enfin dans *La Maison du Dr Edwards*, elle incarne comme personne l'innocence persécutée, la candeur, l'intégrité. Ne fut-elle pas religieuse aux côtés de Bing Crosby dans *Les Cloches de Sainte-Marie* ? Et l'Amérique entière a pleuré devant les cheveux coupés de la victime d'une atroce guerre civile (*Pour qui sonne le glas*).

Le diabolique Dr Hitchcock va réunir les deux plus purs symboles de la beauté sans fards et de la droiture morale dans de singuliers contre-emplois. Qu'on en juge : fille d'un homme accusé de haute trahison, Alicia mène une vie passablement dépravée et s'adonne à la boisson. Un agent américain (Devlin) l'engage pour découvrir les secrets ennemis détenus par un homme inquiétant (Alexander Sebastian interprété par Claude Rains). Bien qu'ils soient tombés amoureux l'un de l'autre, Devlin pousse Alicia dans les bras d'Alexander. Lequel, après avoir épousé la jeune femme, découvre sa mission et va commencer à l'empoisonner progressivement à l'arsenic.

Ingrid Bergman avec Humphrey Bogart dans *Casablanca* de Michael Curtiz (1943).

Si le cadre général est celui d'un film d'espionnage avec secret à découvrir (ici des bouteilles remplies d'uranium dissimulées dans la cave), il est évident que ces péripéties classiques ne sont pour Hitchcock qu'un prétexte. Le véritable suspense est ailleurs : Devlin pourra-t-il surmonter sa peur des femmes, laquelle se traduit par un cynisme brutal à l'égard de sa partenaire ? Alicia parviendra-t-elle à chasser de son subconscient la culpabilité qu'elle extériorise agressivement par des débordements sexuels et alcooliques ?

Ingrid Bergman, Gary Cooper.
Pour qui sonne le glas
de Sam Wood (1943).

Généralement considéré comme l'un des plus brillants exercices de style du maître, *Les Enchaînés* est sans doute aussi une extraordinaire déclaration d'amour d'un réalisateur à son interprète. L'une des séquences les plus souvent citées de l'œuvre d'Hitchcock est le plan du baiser échangé par Cary Grant et Ingrid Bergman : deux minutes trente d'une étreinte sensuelle, filmée d'un seul tenant par une caméra insinuante qui exécute un véritable ballet amoureux autour du couple enlacé. Étonnante manifestation de voyeurisme, thème latent de l'univers hitchcockien qui, plus tard, constituera l'argument essentiel de *Vertigo*, *Psychose* ou *Fenêtre sur cour*. S'il se contente pour l'instant, par caméra interposée, d'appliquer une formule d'Oscar Wilde qu'il cite souvent : « On tue ceux qu'on aime », on notera que tous les personnages du film sont auteurs ou victimes de chantages sexuels. Un jour viendra où le maître lui-même succombera à cette tentation. Mais il n'oublie pas pour autant sa vocation d'enchanteur : ce plan d'anthologie est à la fois parfait dans sa conception et subtilement pervers; la durée d'un baiser étant, à l'époque, soigneusement limitée dans le temps par le code Hays, Hitchcock ruse avec la censure en morcelant malicieusement... l'objet du délit. Ainsi, les lèvres des acteurs se joignent *quinze fois* en cent quatre-vingts secondes tout au long d'un plan-séquence qui les accompagne d'une terrasse à l'intérieur de l'appartement, tandis qu'ils dialoguent ou téléphonent sans se séparer un instant.

En 1946, Alfred Hitchcock fête ses vingt ans de cinéma. L'expérience a tempéré les roueries superflues mais affiné le brio; le succès public le libère de la tutelle des grands studios : la voie magistrale de la pleine maturité s'ouvre devant lui.

Les Enchaînés (1946).

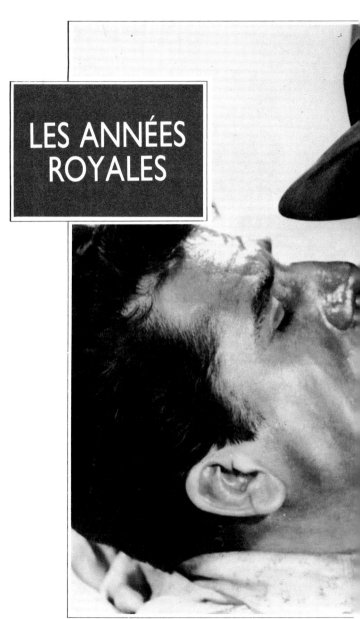

LES ANNÉES ROYALES

Daniel Gélin, James Stewart

dans *L'Homme qui en savait trop* (1956).

Quels sont les secrets d'un magicien, d'un conteur inégalable ? À l'écouter, bien peu de chose : chacune de ses interviews est un feu d'artifice de bons mots, doublé d'un sens remarquable de l'esquive sur les questions de fond. Selon lui, rien ne serait plus simple que son cinéma. Modestie ? Ce n'est pas son genre. Disons plutôt que cet amateur de bonne cuisine sait qu'il ne faut pas divulguer les meilleures recettes, et que ce solide promoteur mesure la vanité des extrapolations critiques.

Les tables de la loi

Un film d'Hitchcock, c'est d'abord une impeccable préparation suivie d'une implacable exécution. Aucun réalisateur au monde n'improvise si peu. Cet ancien élève des beaux-arts dessine, le plus souvent, son film plan par plan et en établit ainsi la géométrie, le rythme, la composition. Sur le plateau, Alfred Hitchcock ne met jamais l'œil à la caméra. Quand on lui demande pourquoi, il répond benoîtement : « Parce que je sais quel objectif est utilisé et son ouverture. Je peux voir la position de la caméra et celle des acteurs. J'ai tout cela en mémoire. S'il y a la moindre difficulté, je fais un petit dessin... Souvenez-vous que je fais toujours *mes films sur le papier.* » (*Les Cahiers du cinéma,* n° 102, entretien Jean Douchet, Jean Domarchi) Et plus loin, il enfonce le clou : « On me demande : "Pourquoi n'allez-vous pas aux rushes ?" Je réponds : "Pourquoi irais-je aux rushes ?" J'ai vu ce qui se passait sur le plateau; dans ma tête je connais exactement les cadrages... Pour le jeu des acteurs, pour la composition des images, je sais. Aussi n'est-il pas nécessaire d'aller aux rushes. »

« – Quelle est la logique profonde de vos films ?
– Faire souffrir les spectateurs ! »

Ainsi Alfred Hitchcock est-il, sur un tournage, particulièrement peu spectaculaire, ne quittant guère des yeux son découpage et ses croquis. Chaque œuvre est un puzzle où le moindre détail a son importance : un élément de décor, une variation d'éclairage, le plus infime mouvement d'appareil participent d'un ensemble rigoureusement architecturé. Tout caprice en détruirait le parfait ordonnancement. D'où les malentendus rencontrés avec certains comédiens, comprenant mal qu'ils ne constituent qu'un élément parmi d'autres. En naquit la formule du maître : « Les acteurs sont du bétail. » Expression à la fois injuste et justifiée pour celui qui choisissait avec minutie le moindre figurant mais ne pouvait supporter que les acteurs « pensent ». Kim Novak, Montgomery Clift ou Paul Newman en firent l'amère expérience.

Aussi n'est-il pas étonnant de constater combien le cinéma d'Alfred Hitchcock est théorique ou, plus exactement, rationnel...

Restons simples...

étant bien entendu que la logique de l'œuvre n'est qu'interne à cette dernière. L'auteur se fiche bien de la vraisemblance, accumule les transparences les plus grossières et les positions les plus inimaginables : que Cary Grant et Ingrid Bergman se soient trouvés horriblement mal à l'aise pour tourner le fameux plan du baiser

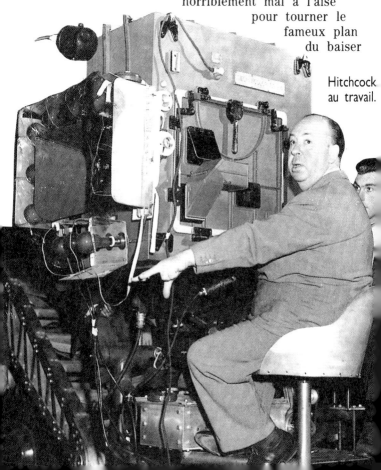

Hitchcock au travail.

importe peu. Les difficultés sont hors cadre et Hitchcock ne s'intéresse qu'à ce qui reste à l'écran.

François Truffaut qui l'admirait tant a magnifiquement

Sur le plateau de *Mais qui a tué Harry ?* (1956).

montré dans *La Nuit américaine* ce décalage entre l'ambiance générale du plateau, les incidents de tournage, les difficultés imprévues, les drames personnels et *le film* qui sera finalement projeté. Hitchcock refuse ces imprévus par la précision de la préparation, le temps passé à l'écriture du scénario, le tournage en studio. N'oublions pas que la seule école qui, semble-t-il, ait eu quelque influence sur lui fut l'expressionnisme allemand qui, dans les années 20, proposa des modèles extraordinairement abstraits. Le néo-réalisme de l'après-guerre, les improvisations de la nouvelle vague glissèrent sur Hitchcock comme l'eau sur les plumes du canard; pendant un demi-siècle, il ne cessa de perfectionner son propre système jusqu'à ce qu'il atteigne, selon le mot de Somerset Maugham qu'il aimait à citer, « la véritable simplicité qui est la chose la plus difficile à atteindre ».

Reste que l'art d'Alfred Hitchcock est nourri de deux paradoxes : ce virtuose est un ascète, ce truqueur est d'une honnêteté scrupuleuse.

L'art de tirer sur la corde

Expliquons l'un et l'autre. La prouesse technique n'est jamais gratuite, mis à part (et encore...) quelques œuvres de jeunesse bien naturellement bouillonnantes. Pour ne prendre qu'un seul exemple : on s'est beaucoup interrogé sur la nécessité qu'il y avait à tourner *La Corde* (1948) en un seul plan continu. Bien entendu, un chargeur de caméra n'excédant pas une durée déterminée,

La Corde comprend en fait plusieurs plans (huit pour être précis), qui sont habilement raccordés au montage pour donner l'illusion d'une continuité. (Pour comparaison : un film « normal » représente de 800 à 1 000 plans.) Certains y virent un exercice un peu vain, d'autres le simple goût de la provocation, d'autres enfin la concrétisation d'un record quelque peu absurde.

Or, si Hitchcock réunit dans ce film – qui, rappelons-le, se déroule tout entier dans un appartement – trois gageures :

Hitchcock et les acteurs... Ici en face de toute la distribution de *La Corde*.

LA CORDE
(The Rope) (1948)

Avec James Stewart
(Rupert Cadell), John
Dall (Shaw Brandon),
Farley Granger (Philip),
Cedric Hardwick
(Mr Kentley), Joan
Chandler (Janet Walker).

Dans leur appartement
élégant à New York,
deux jeunes homosexuels
tuent un camarade de
collège. Fascinés par leurs
idées morbides, ils choisis-
sent d'inviter à un cock-
tail, le même soir, le
père, la tante, la fiancée
de la victime et un de
leurs anciens professeurs
d'université, Rupert
Cadell. Ils s'arrangent
pour que ce dernier
devine l'atroce vérité : le
coffre qui sert de buffet
enferme le cadavre. Après
une éprouvante confron-
tation, Rupert finira par
livrer les criminels à la
police.

l'unité de lieu, l'unité de
temps, l'unité de *regard*,
c'est qu'il garde toujours à
l'esprit que c'est le scénario
qui justifie la technique et
non l'inverse. Ainsi, la
diversité des situations (pour
prendre deux exemples : *La
Mort aux trousses*, course-
poursuite à travers les
États-Unis, opposée à *La
Corde*, huis-clos intégral)
entraîne-t-elle des
traitements spécifiques.

Pour celui qui professe
que « le drame, c'est la vie
d'où on efface les taches
d'ennui », le spectateur, donc
le spectacle, est roi. Et il
ajoute : « La technique excite
l'admiration de ceux qui la
connaissent, mais ceux-ci
justement ne paient pas leur
place. » Le meilleur moyen
pour coller au fauteuil cet
auditoire est en l'occurrence
de le faire participer à *plein
temps* à une action qui
débute à 19 h 30 et se termine
à 22 h 15. On devine les
prodiges nécessaires pour un
tel tournage. Celui-ci dura
dix-huit jours dont la moitié
fut consacrée aux seules
répétitions. Hitchcock ayant
fait construire deux décors
rigoureusement identiques,
l'un servait de lieu de
préparation aux comédiens,

l'autre permettait de régler dans le moindre
détail les mille astuces nécessaires au
tournage de plans d'une extrême complexité.
Ni les acteurs ni les
techniciens ni les
machinistes n'avaient
droit à la moindre
erreur : un mot mal
prononcé, un mouve-
ment démarrant une seconde trop tôt, un
objet déplacé d'un centième exigeant de
reprendre *une bobine entière*.

Rien dans les mains, rien dans les poches...

Le résultat est une œuvre d'une
exceptionnelle densité dramatique car
(deuxième commandement des tables
hitchcockiennes) le spectateur est, dès
l'origine, témoin du
crime gratuit commis
par les deux étudiants

La Corde (1948).

et voit dissimuler le cadavre dans un coffre
situé en évidence au beau milieu du décor.
Puis assiste, lui qui *sait*, au jeu pervers des
phrases à double sens que les assassins
échangent avec leur professeur, totalement
ignorant du drame.

Les exemples abondent de cette complicité entretenue avec le public : au beau milieu de *Sueurs froides*, le réalisateur nous révèle la vérité en nous montrant la fin de la scène à laquelle Scottie n'a pu assister : le mari

Madeleine et Julie ne font qu'une. Kim Novak dans le double rôle. *Sueurs froides*.

jetant sa femme du haut du clocher. Dès lors nous *savons* que Madeleine et Judy ne font qu'une alors que le malheureux héros l'ignorera jusqu'au dénouement. Parfois même, Hitchcock se refuse les facilités pourtant contenues dans l'histoire d'origine. Robert Bloch, auteur du roman *Psychose*, écrit par exemple : « Sa mère, après avoir dormi, venait de se lever », établissant ainsi pour le lecteur que la mère de Norman Bates est bien vivante. Hitchcock, lui, se contente de nous faire *entendre* sa voix et deviner sa silhouette derrière une fenêtre. Ainsi entretient-il l'illusion de sa présence sans pourtant tricher une seconde avec la clé de l'énigme. Et pas un seul détail n'apparaît faux lorsque nous comprenons enfin que Norman imitait l'apparence de la vieille dame disparue.

À la classique devinette des cinq dernières minutes (qui est coupable ?), Hitchcock préfère, passé une introduction contenant souvent d'improbables coïncidences, structurer avec la plus implacable rigueur la mécanique dans laquelle le héros se trouvera enfermé. Il n'y a, chez lui, aucun temps mort puisque les longues plages de film où il ne se passe (apparemment) rien installent le spectateur dans une attente qui vire peu à peu à l'insupportable. Ainsi les personnages de *La Corde* parlent et boivent devant le coffre contenant un cadavre qui pourrait être découvert à tout instant. Personne ne l'ouvrira : suspense psychologique.

Mais cette tension peut également être rompue par un événement inattendu d'une violence inouïe : le meurtre de l'héroïne de *Psychose* nous fait brutalement changer de film. La question jusqu'alors posée : « La voleuse sera-t-elle confondue ? » devient : « Qui a tué Marion ? » Ainsi l'ancien élève des beaux-arts nous mène-t-il sur de fausses pistes.

La Corde (1948).

Grattons le tableau : sous la couche supérieure apparaît une autre peinture. Celui qui débuta au temps du muet et répéta

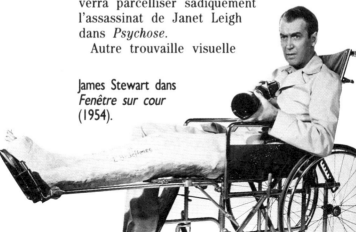

L'héritage du muet

souvent que le cinéma ne s'était jamais totalement remis de l'introduction du son, professe que l'image prime et peut seule signifier. Peu d'auteurs surent en tirer autant parti.

En raison de l'éloignement de sa chambre par rapport à l'immeuble d'en face, le héros de *Fenêtre sur cour* (1954) voit mais n'entend rien de ce qui se passe dans les appartements qu'il observe. Pourtant nous comprenons chacun des drames ou des comédies qui se jouent derrière ces fenêtres. Mieux : nous devinons bientôt le passé et le caractère des acteurs de ce théâtre muet éclaté en scènes qui se jouent parallèlement sous nos yeux. Fruit du long apprentissage du muet, la maîtrise d'Hitchcock lui permet d'explorer avec un égal bonheur toute la palette des possibles : on l'a vu tourner d'un seul tenant un film entier (*La Corde*), on le verra parcelliser sadiquement l'assassinat de Janet Leigh dans *Psychose*.

Autre trouvaille visuelle

James Stewart dans
Fenêtre sur cour
(1954).

74

qu'on pourrait dire antago-
niste : le héros de *La Mort
aux trousses* (1959) est
menacé de mort. Hitchcock
décrit avec humour (*Le
Cinéma selon Hitchcock*) le
cliché de l'homme qui se
rend dans un endroit où il va
être tué : « Une nuit noire à
un carrefour étroit de la
ville... la victime dans le
halo d'un réverbère... le pavé
mouillé... un gros plan d'un
chat noir courant furtivement
le long d'un mur... l'approche
lente d'une limousine noire »
et, ayant dit, il installe Cary
Grant en plein soleil sur
une route déserte, dans un
paysage plat où la vue
s'étend à l'infini. Dans le
lointain, renforçant cette
impression de solitude absolue, un petit avion dont on
distingue à peine le vrombis-
sement répand des nuages de
produit sur les cultures. D'où
peut venir le danger ? La
victime ne le comprendra
que « presque » trop tard,
lorsque soudain le biplan
changera sa route pour
piquer sur lui. Celui dont
Truffaut disait qu'il « filmait
les scènes d'amour comme
des scènes de meurtre et
les scènes de meurtre
comme des scènes d'amour »
nous a, cette fois encore,
pris à contre-pied.

FENÊTRE SUR COUR
(Rear Window) (1954)

Avec James Stewart
(L.B. Jeffries), Grace
Kelly (Lisa Fremont),
Wendell Corey (Tom
Doyle), Thelma Ritter
(Stella), Raymond Burr
(Lars Thorwald).

L.B. Jeffries, reporter
photographe, se trouve
confiné dans sa garçon-
nière : il est immobilisé
par une jambe plâtrée.
Pour se distraire il es-
pionne à la jumelle tous
ses voisins. Ses observa-
tions l'amènent à soup-
çonner Lars Thorwald du
meurtre de sa femme. Il
réussira à en convaincre
Lisa (sa fiancée) et Stella
(son infirmière) qui dé-
couvriront suffisamment
de preuves dans le jardin
et l'appartement de
Thorwald pour alerter
la police. Avant d'être
arrêté, Thorwald par-
viendra à défenestrer
Jeffries qui s'en sortira,
mais avec les *deux* jam-
bes plâtrées...

Hitchcock, pourtant, nous avait alertés par la remarque d'un paysan qui, tout à l'heure, attendait son car : « c'est curieux, mais cet avion sulfate là où il n'y a rien à sulfater. » Mais ni Cary Grant ni le spectateur n'ont tenu compte d'une remarque aussi anodine. Sacré farceur !

L'amour à mort

Janet leigh et John Gavin. *Psychose* (1960).

La mort aux trousses

(North by Northwest) (1959)

Avec Cary Grant (Roger Thornhill), Eva Marie Saint (Eve Kendall), James Mason (Philip Vandamm).

Philip Vandamm est à la tête d'un groupe d'espions chargé de transmettre à une puissance étrangère des informations ultra-secrètes dérobées au gouvernement américain. Ils s'attaquent à Roger O. Thornhill, qu'ils prennent pour « George Kaplan », personnage fictif créé par les services secrets américains. Thornhill, victime d'une série de malentendus, est traqué à la fois par les espions et la police qui le croit coupable d'un meurtre. Il tombe amoureux d'Eve Kendall qui, sous couvert d'être la maîtresse de Vandamm, est en fait un agent double travaillant pour les États-Unis. Pour ne pas se trahir, elle ira jusqu'à essayer de tuer Thornhill, mais, à la fin d'un long périple extrêmement mouvementé, le couple partira en voyage de noces.

L'assassinat sous la douche

Le tournage de la séquence de l'assassinat de Janet Leigh dans *Psychose* dura sept jours, pour quarante-cinq secondes à l'écran; la caméra occupa soixante-dix positions différentes. Une femme nue y est lardée de coups de couteau puis s'effondre morte sans qu'aucune des parties taboues (à l'époque) soit jamais montrée et sans que le couteau touche jamais le corps. De l'actrice on ne voit que le visage et les mains, le reste étant fourni par un modèle qui double Janet Leigh. Merveille de montage, cette scène d'anthologie est devenue un classique souvent parodié.

The Fun House (1981).

Avec *La Mort aux trousses*, où il entraîne son acteur fétiche dans une course poursuite où l'humour avoisine constamment un rythme endiablé, Hitchcock réalise un divertissement qui frise la perfection absolue et dont les morceaux de bravoure restent dans toutes les mémoires. Pour n'en citer qu'un, rappelons la grande poursuite finale, au-dessus de l'abîme sur les têtes géantes du mont Rushmore (Washington, Lincoln, Jefferson et Roosevelt). Ce chef-d'œuvre peut être considéré comme le modèle (souvent imité, jamais égalé) des comédies d'espionnage qui ont fleuri depuis trente ans. S'il coûta fort cher, il en rapporta bien davantage et connut, dans le monde entier, un succès triomphal.

Le bâtisseur d'empire

L'année suivante, *Psychose*, pour un budget de 800 000 dollars, encaissa 13 millions de bénéfice ! Depuis plusieurs années, Alfred Hitchcock est devenu la providence de ses producteurs et gère avec sagacité un véritable petit empire bâti sur son seul nom.

La mort aux trousses (1959)

Dès 1956 on utilise sa « marque » pour lancer une revue qui porte son nom : *Alfred Hitchcock's Mystery Magazine*, que les lecteurs français connurent sous le titre à peine transposé d'*Alfred Hitchcock Magazine*. Parallèlement naît une série de recueils patronnés par le grand homme : les fameuses *Histoires abominables*, *...à ne pas lire la nuit*, *...à faire peur*, dont la couverture est ornée de son portrait. Les lecteurs naïfs peuvent penser qu'il est lui-même l'auteur des nouvelles fantastiques ou criminelles ici rassemblées. Il n'en est rien; le maître se contente d'y apporter sa griffe comme d'autres parrainent des jouets ou des parfums. En tout cas, le succès ne se démentit jamais et ces recueils sont constamment réédités. Choisit-il lui-même les récits publiés ? On l'ignore.

Par contre il suit de près la promotion de ses films, pour lesquels il invente souvent des slogans cocasses. Ainsi proposa-t-il pour la réédition de *Fenêtre sur cour* en 1968 : « Si vous n'éprouvez pas une terreur délicieuse en voyant *Fenêtre sur cour*, pincez-vous, vous êtes probablement déjà mort. »

Dans le même temps, cet homme timide et réservé n'hésite pas à payer de sa personne pour assurer le service après vente de ses productions.

Les apparitions d'Hitchcock

Si les toutes premières figurations d'Hitchcock furent dictées par la nécessité de faire nombre dans des productions très pauvres, elles devinrent vite un jeu, puis une légende. Des bénédictins du septième art ont reconstitué avec soin chacune de ces apparitions, aussi muettes que furtives. Ne retenons que les plus cocasses : dans *Chantage* (1929), lisant un livre dans le métro, il est persécuté par un enfant qui lui enfonce son chapeau sur la tête; dans *Jeune et innocent* (1957), il fait partie des photographes qui attendent à la sortie du tribunal, mais, sans arrêt bousculé, ne peut prendre aucun cliché; dans *Le Procès Paradine* (1948), il transporte un étui à violoncelle, dans *L'Inconnu du Nord-Express* (1951) une contrebasse. Parfois il complique encore le jeu et, pour *Le crime était presque parfait* (1954), figure sur une photo de groupe accrochée au mur. Sa plus étonnante prestation reste celle de *Lifeboat* (1944).

Mais qui a tué Harry ? (1956).

L'homme qui en savait trop (1934)

81

Qui, rappelons-le, se déroule entièrement dans un canot de sauvetage isolé en pleine mer. Hitchcock résout astucieusement le problème en figurant sur un journal pour une publicité de produit amaigrissant (avant, après !). Mais ce prince de l'humour noir réserve à son dernier film (*Complot de famille,* 1976) une prestation qui serre la gorge : on y voit son *ombre* pointer le doigt vers une autre silhouette derrière une vitre portant l'inscription « Certificats de naissance et de décès ».

Chantage (1929)   Sueurs froides (1958)

Il se déplace dans le monde entier (toujours suivi d'Alma !...) pour y rencontrer les journalistes, donner des conférences de presse et vérifier en se promenant dans les rues qu'il est *le seul réalisateur au monde* dont la silhouette et le visage sont connus partout.

Il tire un plaisir gourmand de cette gloire qu'il a lui-même nourrie d'une curieuse particularité : effectuer, dans chacun de ses films, une brève apparition.

Mais revenons en 1955 : après avoir accumulé les succès commerciaux (*La Main au collet* vient de rapporter 4,5 millions de dollars sur le seul territoire des États-Unis), Hitchcock est contacté par la télévision pour devenir producteur et présentateur d'une série qui reposerait sur son nom. Elle comprendra plus de 350 épisodes hebdomadaires ! Pour chacun d'eux, précédé du dessin-fétiche figurant son profil, le plus célèbre commentateur du monde annonçait les pires horreurs avec son inimitable ton pince-sans-rire, n'hésitant pas à mettre en boîte les annonceurs, d'abord furieux, puis très vite ravis du succès de la formule. Exemple de gag en conclusion d'une émission : « Comme vous le voyez, le crime ne paie pas – même à la télévision. À moins d'avoir un commanditaire. Voici le nôtre... »

Ces histoires courtes (une demi-heure au début, puis une heure) s'appuyaient sur des intrigues policières à la fois macabres et humoristiques, ménageant systématiquement un retournement de situation de dernière minute : ainsi cet homme (*Back for Christmas*, 1956) qui, ayant enterré le cadavre de sa femme dans la cave, part en vacances dans l'Ouest et découvre que son épouse lui avait préparé une surprise en faisant effectuer des travaux pendant son congé pour transformer la cave en cellier ! Ou bien encore cette femme criminelle (*Lamb to the Slaughter*, 1957) qui, ayant assommé son mari (agent de police) avec un gigot, met celui-ci au four et offre à manger l'arme du crime aux collègues du défunt.

De 1955 à 1961, Alfred Hitchcock mettra *lui-même* en scène dix-huit épisodes d'une série qui fut ensuite projetée et indéfiniment reprise sur les télévisions du monde entier. Pourtant, cet homme présent sur tous les écrans du globe vit totalement à l'écart du paradis du showbiz.

Après la guerre, lorsqu'il s'installe définitivement aux U.S.A., Hitchcock commence par bouleverser les règles du vedettariat. Refusant que sa maison ressemble à celle des stars traditionnelles,

Un four sans vitre

il déclare : « Ce que je veux, c'est un foyer, pas un plateau de cinéma... mais une bonne cuisine confortable : au diable les piscines. » Si ses intimes se nomment Gregory Peck, Cary Grant, Anthony Perkins ou Paul Newman, « Hitch » en pantoufles ressemble plus à un notable britannique qu'à une star hollywoodienne. Et sa pièce préférée, celle dont il est fier et qu'il fait visiter en premier, est, en effet, une cuisine aussi vaste que perfectionnée.

Mais, dans le même temps qu'il apprécie les meilleurs plats, Hitchcock boit sans retenue. S'il mène, aux côtés de la fidèle

Hitchcock s'amuse.

Alma, l'existence paisible d'un homme qui passe ses soirées à lire, écouter de la musique classique ou regarder la télévision, une double mutation s'accomplit derrière ce masque débonnaire : tandis que la maladie s'installe, les passions trop longtemps contenues affleurent. Celles-ci donneront naissance aux chefs-d'œuvre de son âge d'or.

SIR ALFRED LE GASTRONOME

Dans la cuisine d'Hitchcock, une banquette rouge entoure une table ovale; plusieurs fours sont encastrés dans les murs et le congélateur (dans lequel on peut pénétrer) est rempli de carcasses entières. Le service en porcelaine de Limoges a été rapporté de France, comme le cadeau de François Truffaut : un petit fourneau à l'ancienne. La nourriture est la véritable passion de ce fin gourmet qui se fait livrer du monde entier ses plats favoris, emplit son cellier des meilleurs crus et confectionne lui-même le pudding du Yorkshire. Cet amour pour la gastronomie lui inspirera l'une de ses meilleures formules : « Personnellement, je déteste le suspense. C'est pourquoi j'interdis que quiconque fasse un soufflé chez moi, mon four n'a pas de vitre et il faut attendre quarante minutes pour "savoir". C'est plus que je ne peux supporter. »

85

Enfonçons une porte ouverte : le cinéma est *par nature* l'expression d'un certain voyeurisme. Comme tous les arts de représentation, mais plus encore : la mobilité du point de vue, la pratique du gros plan font de

Le voyeurisme suprême...

l'objectif un œil privilégié, omniprésent, indiscret, qui tout à la fois découvre les ensembles et scrute les détails. Pour le fameux plan précédemment cité (la longue scène du baiser des *Enchaînés*), l'auteur dit lui-même que la caméra, « représentant le public, devrait être admise comme une tierce personne à se joindre à cette longue embrassade », et ajoute : « Je donnais au public le grand privilège d'embrasser Cary Grant et Ingrid Bergman ensemble, c'était une sorte de ménage à trois. »

L'idée nous ramène au souvenir d'une anecdote ancienne. Interrogé sur son initiation personnelle, Hitchcock, après avoir rappelé sa totale ignorance des choses du sexe jusqu'à l'âge de vingt-trois ans, raconte une soirée vécue en Allemagne lors du tournage d'un film. C'était en 1924 (il avait donc vingt-cinq ans). Ramené dans une chambre d'hôtel en compagnie d'une amie par deux femmes et après avoir désespérément répondu « Nein » à chacune de leurs propositions, Alfred Hitchcock assiste à leur coucher en simple spectateur et ajoute ce détail saugrenu : « La jeune fille qui m'accompagnait a mis ses lunettes pour mieux voir... »

Le moindre traité de psychanalyse rappelle que le voyeurisme fait tout naturellement

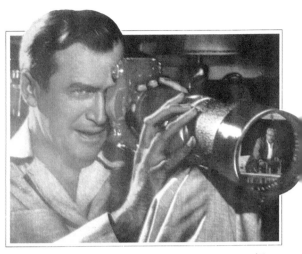

partie des plaisirs préliminaires, mais qu'il devient une perversion lorsqu'il exclut toute autre forme d'activité sexuelle. *Fenêtre sur cour* en constitue la plus parfaite des démonstrations. Loin

James Stewart. *Fenêtre sur cour* (1954).

d'être un maniaque, le héros du film épie ses voisins pour la double raison qu'il est immobilisé par un plâtre et photographe professionnel. Sa relation avec son amie apparaît des plus chastes : de fait, il exprime à plusieurs reprises qu'il n'a nulle envie de l'épouser et manifeste une grande froideur devant les agaceries amoureuses que lui prodigue la jeune femme.

Dira-t-on que Jeff n'est, après tout, qu'un homme parfaitement normal qui, momentanément inapte à la relation amoureuse, trompe son ennui de la façon la plus banale ? Hitchcock remet les pendules à l'heure en faisant dire à l'infirmière : « Dans l'État de New York, les voyeurs sont punis de six mois de prison... Jadis, on les marquait au fer rouge. Aujourd'hui il n'y aurait plus assez de fers. » Et plus tard, en saisissant l'appareil-photo, elle le qualifie de « trou de serrure grossissant ».

Allons plus avant : si l'on peut encore considérer un reporter photographe comme une sorte de voyeur professionnel, que penser de l'attitude du même James Stewart qui, dans *Sueurs froides*, passe *l'intégralité* du film à épier la femme qu'il aime sans que leur relation dépasse finalement le simple baiser sur la bouche ?

Après avoir été repêchée dans la baie de l'Hudson par le héros, la jeune femme se réveille nue dans le lit de son sauveur. Lequel l'a donc forcément déshabillée ainsi que l'attestent les dessous soigneusement mis à sécher. Bien entendu, la scène n'est pas montrée. Savoureuse ellipse qui combine l'idée du voyeurisme et du fétichisme vestimentaire.

SUEURS FROIDES (Vertigo) (1958)

Avec James Stewart (John « Scottie » Ferguson), Kim Novak (Madeleine Elster/Judy Barton), Barbara Bel Geddes (Midge Wood), Tom Helmore (Gavin Elster).

John « Scottie » Ferguson, détective à San Francisco et sujet au vertige, est contraint de démissionner. Un ancien camarade de collège, Elster, lui demande alors de suivre sa femme Madeleine qui, suicidaire, croit qu'une parente défunte est revenue la posséder. John tombe amoureux de Madeleine et la sauve de la noyade. Malheureusement, sa peur du vide l'empêchera de monter en haut du clocher de l'église d'où elle se précipite dans le vide. Écrasé par le chagrin, Scottie rencontre peu après une jeune femme, Judy, qui le fascine par sa ressemblance avec Madeleine. Envoûté, il insiste pour qu'elle porte les mêmes vêtements et la même coiffure que la morte. En fait, Elster a utilisé Scottie à son insu pour se débarrasser de sa femme : Madeleine et Judy ne font qu'un.

James Stewart et Kim Novak dans *Sueurs froides* (1958).

Mais c'est avec *Psychose* que culminera cette obsession du regard lorsque Anthony Perkins épie, à travers un trou percé dans le mur, Janet Leigh se déshabillant avant de passer sous la douche. L'œil, qui alors envahit l'intégralité de l'écran, est cette fois celui d'un authentique psychopathe dont l'impuissance est patente et que sa peur panique des femmes pousse à l'acte le plus terrifiant. Mais

La peur panique des femmes...
Psychose (1960).

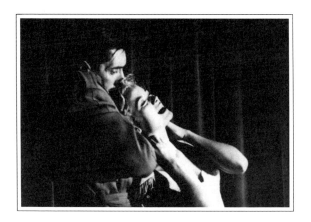

Le crime était presque parfait (1954).

le héros le plus célèbre de la geste hitchcockienne est bien plus qu'un banal sadique meurtrier.

L'un des tout premiers souvenirs d'enfance d'Alfred Hitchcock le voit, dans la semi-torpeur d'un sommeil interrompu, surprendre au matin de Noël sa mère retirant de ses chaussettes des jouets pour les disposer dans

Le spectre de la mère terrible

celles de son frère. Cela ne constitue, à l'évidence, qu'un banal souvenir et rien n'indique qu'Emma Hitchcock ait été une mère abusive. Mais lorsqu'un créateur pratique à ce point l'art de l'esquive et de la fugue et qu'il « ne donne de lui que ce qu'il souhaite livrer en menant sa conversation comme ses films » (Ronald Spotto, *The Dark Side of Genius*), c'est bien dans ce dernier qu'il nous faut rechercher les vérités cachées, l'expression des angoisses, des désirs inassouvis comme des passions insatisfaites.

Ainsi, tous les analystes auront noté que l'image de la femme et de la mère, le plus souvent, ne font qu'un et que l'auteur s'acharne à détruire l'une et l'autre. Peu d'œuvres ont été aussi systématiquement consacrées à l'éternelle victime promise à la mort et parfois condamnée.

Patricia Hitchcock, au centre, dans *L'Inconnu du Nord-Express* (1951).

Si Joan Fontaine (*Soupçons*), Teresa Wright (*L'Ombre d'un doute*), Ingrid Bergman (*Les Enchaînés*), Grace Kelly (*Le crime était presque parfait*) ou Tippi Hedren (*Les Oiseaux*) échappent, in extremis, à la mort, Laura Elliot (*L'Inconnu du Nord-Express*) et Barbara Leigh-Hunt (*Frenzy*) sont étranglées, tandis que les deux malheureuses héroïnes de *Sueurs froides* sont précipitées

Les éternelles victimes ? *Les Oiseaux* (1963).

dans le vide. Et encore ne citons-nous que des personnages principaux car la liste serait longue des innombrables victimes qui parsèment l'œuvre d'Alfred Hitchcock (quatre cadavres de femmes violentées pour le seul *Frenzy*).

Bien entendu, l'humour ne perd pas ses droits et la mère envahissante peut être aussi caractère de comédie : ainsi celle de Cary Grant dans *La Mort aux trousses*, personnage excentrique et exclusif qui ridiculise en public le malheureux héros. Lequel ne vivrait en définitive ses extravagantes aventures que pour se débarrasser de ce fléau ambulant et expulser son complexe d'Œdipe en faisant enfin l'amour avec une femme sous le couvert du fameux plan symbolique qui clôt le film : un train pénétrant dans un tunnel. (Extrait du dialogue. Cary Grant : « Quand j'étais petit, j'interdisais à ma mère de me déshabiller. » Eva Marie-Saint : « Vous êtes

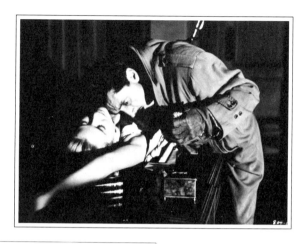

Le crime était presque parfait
(1954).

un grand garçon maintenant. ») Cela nous rappelle une certaine Emma Hitchcock accompagnant son fils, jeune marié, en week-end et surtout nous ramène au plus éclatant exemple de cette double répulsion pour la femme et pour la mère dans sa version la plus sombre. De tous les cadavres féminins filmés par Hitchcock, aucun n'est plus terrifiant que ceux de *Psychose*. Celui de Janet Leigh d'abord, poignardée sauvagement sous la douche, première surprise du scénario qui fait disparaître l'actrice principale dès le premier tiers du film; celui plus hallucinant encore de la mère momifiée, avec qui le fils assassin entretient de surprenantes relations.

Cette dernière œuvre (désormais si connue, y compris à travers deux « suites » au demeurant médiocres, qu'on peut impunément en révéler la chute) constitue à la fois l'un des sommets du génie d'Alfred Hitchcock et peut-être sa plus intime confession, ce que Jean Douchet résumait dans cette formule :

La maison de
Norman Bates
Psychose

PSYCHOSE
(Psycho) (1960)

Avec Anthony Perkins
(Norman Bates), Janet
Leigh (Marion Crane).

Marion vole 40 000
dollars à son employeur
et fuit avec l'intention
de refaire sa vie avec
Sam. Elle s'arrête dans
un motel isolé dont le
jeune propriétaire,
Norman Bates, semble vi-
vre seul avec sa mère,
vieille femme acariâtre.
Au moment où Marion
prend sa douche, quel-
qu'un (la vieille femme,
semble-t-il) la tue sauvagement à coups de cou-
teau. Norman découvre
le carnage et, pour cacher
le crime de sa mère,
nettoie les lieux et fait
disparaître le corps de
Marion. Sam et Lila (sœur
de Marion) cherchent à la
retrouver avec l'aide du
détective Arbogast. Ce
dernier est assassiné à
son tour, dans la maison
des Bates. Apprenant par
le shérif que Mme Bates
est morte depuis plusieurs
années, Sam et Lila dé-
couvrent que Norman est
un dangereux psycho-
pathe qui s'est morbi-
dement identifié à sa
mère tout en conservant
son cadavre momifié
dans la cave.

« Il n'y a pas d'amour chez Hitchcock, il n'y a que du sexe. Mais le rapport de sexe se transforme immédiatement en rapport de haine. » (« La femme selon Hitchcock », *Cinéma 84*, n° 85)

Les vertiges nécrophiles

Ajoutons : et de peur. En inventant la fameuse « blonde glaciale hitchcockienne », Alfred Hitchcock paraphrase le mythe de la mante religieuse dégustant le mâle après l'accouplement. Et il ajoute : « Le sexe ne doit pas s'afficher. Une fille anglaise, avec son air d'institutrice, est capable de monter dans un taxi avec vous et, à votre grande surprise, de vous arracher votre braguette. » Ainsi la femme la plus apparemment inaccessible est-elle pourtant porteuse de péché. Norman Bates supprime ce facteur de trouble en poignardant l'intruse au nom de sa mère morte dont il emprunte la robe et la perruque (mais, dans cette cohabitation morbide avec le corps de cette dernière, ne commet-il pas le péché suprême ?).

Ce n'est en fait pas la première fois qu'Hitchcock aborde l'un des sujets les plus tabous qui soient, mais la censure, par bonheur, épargna l'un des plus audacieux

James Stewart et Kim Novak dans *Sueurs froides* (1958).

réalisateurs parce que celui-là ne recourait jamais aux procédés les plus vulgaires. Pas un seul nu chez celui qui consacra pourtant son chef-d'œuvre à la nécrophilie. À l'évidence, le héros de *Sueurs froides* n'a qu'un seul but : assouvir son idée fixe de faire l'amour avec une morte. Cela nous vaudra l'un des films à la fois les plus brillamment réalisés et les plus troublants, tant il est évident que Scottie (James Stewart), recréant de toutes pièces une femme disparue, habillant, maquillant une inconnue jusqu'à ce que son image soit la réplique exacte de la morte, est le double d'Hitchcock façonnant son modèle érotique. Celui qui choisissait lui-même avec un soin maniaque la moindre pièce de vêtement de ses interprètes filme Scottie accompagnant Judy chez le couturier pour la contraindre à porter, contre son gré, le même tailleur que celle qu'il croit morte, puis l'obligeant à se décolorer, enfin à se coiffer à l'identique. Relations sadiennes qui ressemblent fort à celles qu'entretiennent Kim Novak et Hitchcock.

La première, dont l'intelligence était aussi vive que le caractère, eut le tort de venir sur le plateau « avec des idées », ce qui déplut au maître qui l'estima insupportable et vulgaire.

Le maître avait tort : l'actrice fut parfaite.
Mais le cœur avait peut-être des raisons que
la raison voulait ignorer. De la haine à
l'amour... Et si à l'évidence il met en scène
ses propres inhibitions, Hitchcock n'en est
pas dupe. À son chef opérateur, qui s'étonne
de le voir passer une demi-heure pour filmer
un simple gros plan des chaussures de Grace
Kelly (dans *Fenêtre sur cour*), le réalisateur
répond : « Vous n'avez jamais entendu parler
du fétichisme ? »
Celui qui vient de
produire trois
chefs-d'œuvre en trois ans (*Sueurs froides,
La Mort aux trousses, Psychose*) est alors au
sommet de sa gloire. L'âge, la passion, la
maladie vont lézarder ce monument.

James Stewart et Kim Novak.

LES ANNÉES
SOMBRES

Anna Massey et Barry Foster dans *Frenzy* (1971).

Si Sueurs froides *(que nous considérons comme son meilleur film)* rencontre un succès moyen, La Mort aux trousses *draina des foules considérables et* Psychose *fut un véritable triomphe. Bien que certaines réactions critiques (principalement en France) aient été défavorables, Hitchcock est désormais à la fois une valeur sûre et un auteur mondialement connu. La décennie qui vient de s'écouler (de 1950 à 1960) constitue pratiquement un parcours sans faute et peu de réalisateurs peuvent s'enorgueillir d'un aussi éclatant palmarès.*

Cependant et tandis qu'il continuait à traiter ses thèmes favoris, le monde du cinéma avait violemment évolué. Les années 50 virent tout à la fois le renforcement du code réprimant l'abus de sexualité et de crime et le développement du mc carthysme. Une gigantesque chasse aux sorcières lancée en 1947, reprise en 1951 avec une violence accrue, avait fait défiler d'innombrables vedettes, scénaristes ou réalisateurs devant la fameuse commission des activités anti-américaines. Certains furent bannis des studios, d'autres dénoncèrent leurs anciens amis. Alors que la télévision connaissait un essor foudroyant, l'industrie

« Qu'est-ce qui vous fait peur ?
1 : les petits enfants.
2 : les policiers.
3 : les endroits importants.
4 : mon prochain film ne sera pas aussi bon que le dernier. »

cinématographique périclitait : en 1952 le nombre de films tournés sera le plus faible de toute l'histoire du parlant.

Devant ces menaces, les producteurs comprennent qu'il leur faut proposer des produits qu'on ne peut voir à la télévision : d'où la double offensive du grand spectacle et du film réservés aux adultes. Tandis que 11 000 salles s'équipent en cinémascope en Amérique du Nord pour la seule année 1954, la censure recule un peu partout. Ainsi la Cour suprême donne-t-elle tort aux États de New York et d'Ohio qui avaient interdit *La Ronde* et *M. le Maudit* pour « raisons morales ». Le cardinal Spellman aura beau, deux ans plus tard, tonner en chaire contre *Baby Doll*, rien n'arrêtera l'irrésistible progression des libertés.

En 1961, le fameux code sera réformé pour ce qui concerne la section VI (perversions sexuelles); elles pourront être utilisées si le sujet est traité avec « prudence, discrétion et modération ». Otto Preminger le scandaleux

Les foudres de la censure...
Baby Doll, d'Elia Kazan (1956).

voit ainsi trois de ses films libérés d'un coup : *Autopsie d'un meurtre, La lune est bleue, L'Homme au bras d'or.* Nous sommes en 1961. *Psychose* est sorti l'année précédente. Alors qu'il a présenté très régulièrement au moins un film (et parfois deux) chaque année, Hitchcock va interrompre sa production. Il est vrai qu'il a décidé de frapper très fort, ayant compris que son public attendait de lui qu'il se surpasse encore. Il lui fallut trois ans pour résoudre les innombrables problèmes techniques d'une rare complexité posés par l'adaptation d'une nouvelle de Daphne du Maurier. Acteurs principaux du film, *Les Oiseaux* démontrèrent un talent fou. À l'inverse, la vedette féminine, si elle correspondait à la perfection physique de la « blonde hitchcockienne », s'avérait singulièrement médiocre.

MR. HITCHCOCK

Depuis longtemps, Alfred Hitchcock entretient avec ses actrices fétiches la relation classique du réalisateur pygmalion. Au contraire de ses interprètes masculins, qu'il choisit connus

Une blonde de trop ?

et expérimentés (même s'il les utilise dans de judicieux contre-emplois), il façonnera à sa manière des comédiennes en début de carrière : ainsi Grace Kelly n'a-t-elle tourné que trois films et Vera Miles n'est-elle qu'une inconnue lorsqu'il les prend en main.

De la première, qu'il idolâtrait visiblement, Alfred Hitchcock a dit que ce fut l'actrice la plus coopérative qu'il ait connue. Et elle fut probablement son interprète idéale : ils tournèrent en 1954 et 1955 trois films coup sur coup (*Le crime était presque parfait, Fenêtre sur cour, La Main au collet*). Sur quoi, lors du tournage de ce dernier sur la Côte d'Azur, la belle Grace rencontra le prince Rainier. La suite appartient aux gazettes. En tout cas, cette héritière de la meilleure société de Philadelphie sut traiter d'égal à égal avec son mentor. Et lorsque celui-ci, sur tel ou tel tournage, tente, selon

Créateur de stars...

son habitude, de la choquer en tenant des propos d'une rare crudité, elle répond avec humour : « J'ai été élevée dans un couvent et j'y ai appris toutes ces choses à l'âge de treize ans. »

Il en ira différemment avec Vera Miles. Pour cette ancienne reine de beauté de vingt-six ans qu'il a sélectionnée pour ses séries télévisées (et qui partagera la vedette du *Faux coupable* avec Henry Fonda),

Hitchcock fait établir un contrat draconien garantissant que son image ne sera ni modifiée ni utilisée à des fins publicitaires. Et comme cette excellente actrice s'habille de façon quelque peu voyante, il lui fait confectionner par Edith Head une garde-robe *complète* pour la ville comme pour l'écran. Mais surtout lui impose sur les tournages de longs tête-à-tête de travail qui se déroulent dans le plus grand secret. Lesquels s'espacèrent, puis disparurent après que Vera Miles eut épousé Gordon Scott. Qu'on n'en tire nulle conclusion hâtive... comme l'écrit fort justement son meilleur biographe, Ronald Spotto : « S'il avait voulu, il aurait pu facilement trouver les femmes qui auraient satisfait son désir.

Avec Grace Kelly, celle qu'il idolâtrait visiblement...

Mais pour Alfred Hitchcock, rêveur, auteur de fantasmes,

Tippi Hedren. *Pas de printemps pour Marnie* (1964).

romantique, c'était la poursuite du rêve qui importait. Aurait-il approché la matérialisation de ce rêve que le contact physique lui aurait été insupportable. » (*The Dark Side of Genius*)

Pourtant Hitchcock va franchir ce seuil. Au moins en intention. Le départ de Grace Kelly, le rejet supposé de Vera Miles, l'extrême implication personnelle que l'on peut deviner dans le sujet de *Psychose*, conjugués à des problèmes cardiaques qui se sont manifestés pour la première fois en 1958, le laissent dans une sorte de léthargie professionnelle et sentimentale, qui sera brutalement rompue lorsqu'il remarquera par hasard, dans une publicité télévisée, une ravissante figurante. La production la convoque aussitôt : ce modèle de vingt-cinq ans, divorcée et mère d'un jeune enfant, se nomme Tippi Hedren. Totalement inexpérimentée, elle deviendra la vedette des deux films à venir de l'un des plus célèbres réalisateurs du monde. Lequel va souffler sur elle le chaud et le froid dans le ballet pervers du dieu et de sa créature. Il la couvre de cadeaux, l'entoure d'une présence qui dépasse largement les usages professionnels et entend régenter non seulement ce qu'elle doit porter (ce qui est habituel chez lui) mais les moindres détails de sa vie privée.

Tippi Hedren et Alfred Hitchcock pour la promotion du film *Les Oiseaux* (1963).

Se rebiffe-t-elle ? Il exerce le chantage à la gloire (« Des centaines auraient fait l'affaire... ») et lui inflige de douloureuses épreuves. Ainsi, pour certaines scènes des *Oiseaux*, les figurants mécaniques initialement prévus sont-ils remplacés par de véritables volatiles. À bout de nerfs, blessée à un œil, Tippi craque au bout de deux jours. On doit interrompre le tournage. Bien sûr, il reprendra, comme leur étrange relation : lorsque, l'année suivante, Hitchcock lui fait tourner un essai pour *Marnie*, l'actrice s'aperçoit avec horreur que ces plans sont l'exacte copie de la scène de séduction de Grace Kelly dans *La Main au collet*. Parfois, il lui raconte ses rêves : « Par une nuit d'orage, dans ma maison de Santa Cruz, vous venez vers moi et me dites : "Hitch, je vous aime..." » Elle proteste : « Mais ce n'est qu'un rêve... » Cependant, le film prend l'étrange tournure de l'histoire transposée d'un metteur en scène exprimant son désir pour une actrice inaccessible... Mais revenons en 1963, alors qu'Hitchcock entreprend le plus difficile des tournages.

Fort heureusement, *Les Oiseaux*, qui reste l'un des films les plus populaires d'Hitchcock, repose plus sur la qualité des effets spéciaux que sur l'interprétation de l'actrice principale. Il fallut près de trois ans d'une préparation minutieuse pour mettre sur pied un tel projet : transformer d'inoffensifs corbeaux, pigeons ou mouettes en redoutables prédateurs... de la race humaine.

Le public a-t-il toujours raison ?

Les premières difficultés étaient techniques : comment faire cohabiter à l'image les acteurs avec des figurants à la fois nombreux et, par nature, indisciplinés ? Hitchcock fait donc appel aux meilleurs spécialistes des effets spéciaux. Robert Boyle, Harold Michelson et Albert Whitlock vont combiner et perfectionner les divers procédés alors connus.

Les simples transparences (l'acteur joue devant un écran sur lequel est projeté le décor) sont insuffisantes. On utilisera le travelling matte, inventé en 1927 sous le nom de dunning et dont les premières prestigieuses utilisations furent pour le *King Kong* et *L'Homme invisible* de 1933. Il exige une caméra spéciale utilisant deux pellicules à la fois, un prisme expérimental que l'on emprunte aux studios Disney et des lampes à vapeur de sodium. Pendant treize mois, les techniciens mettent au point les 370 plans comportant chacun plusieurs trucages : la dernière scène utilise, à elle seule, 32 effets spéciaux.

Restait l'essentiel : trouver, dresser et utiliser les milliers d'oiseaux présents à l'image. Les corbeaux sont intelligents; mais ils s'avèrent difficiles à attraper. On en élèvera à partir d'œufs. Les mouettes peuvent fournir une main-d'œuvre à bon marché : mais c'est une espèce protégée et la S.P.A. s'en mêle. Finalement, 28 000 volatiles dont 3 500 dressés seront utilisés. Pour éviter qu'ils ne disparaissent dans la nature à chaque plan, le décor du studio fut entouré

LES OISEAUX
(The Birds) (1963)

Avec Tippi Hedren (Melanie Daniels), Rod Taylor (Mitch Brenner), Jessica Tandy (Mrs Brenner), Suzanne Pleshette (Annie Hayworth).

Melanie fait la connaissance de Mitch Brenner. Désireuse de le revoir, elle se rend à son domicile où il vit entre sa mère Lydia et sa sœur Cathy. Sur le bateau du retour, elle se fait agresser par une mouette qui la blesse au front. L'institutrice de l'école voisine, Annie, révèle à Melanie que Lydia, mère dominatrice et abusive, est terrifiée à l'idée d'être abandonnée. Melanie réalise alors les difficultés éprouvées par Mitch dans ses relations avec les femmes. La propriété de Brenner est progressivement envahie par des oiseaux, de plus en plus hostiles : des enfants sont attaqués et Annie est tuée en essayant de protéger ses élèves. Melanie, sévèrement blessée, et les Brenner s'enfuient, profitant d'une « trêve » passagère. Mais la prochaine attaque, semble-t-il, ne saurait tarder...

d'un immense vélum tandis que des jets d'air comprimé les éloignaient des caméras.

Si quelques oiseaux mécaniques furent utilisés ici ou là tandis que d'autres, empaillés, complètent la figuration dans les scènes de masse, la quasi-totalité des plans furent réalisés (avec les problèmes que l'on devine) par des espèces dont chacune avait son style de jeu. Hitchcock lui-même en évoque quelques-uns comme s'il s'agissait de véritables acteurs : Corvus le corbeau, spécialement dressé pour mordre la main de Rod Taylor, ou Charley la mouette qui, après avoir joué sa scène à la perfection (se poser

sur le dos d'un petit garçon), effectua un
magnifique virage sur l'aile pour aller
rejoindre une bande de congénères sauvages.
Et, démontrant qu'il a conservé intact son
légendaire sens de l'humour, il adresse à son
interprète cette galanterie : « Buddy le pinson
fut celui qui fit preuve du plus grand
discernement : dès le premier jour du
tournage, il s'installa dans la loge de Tippi
Hedren. » (*Press-book* des *Oiseaux*)

S'il connut un grand succès public (auquel
le génie publicitaire d'Hitchcock n'est pas
étranger) et reste une
de ses œuvres les plus

Des oiseaux meurtriers...

populaires, le film divisa la critique.
Beaucoup notèrent (fort justement) la
longueur de l'exposition, les lenteurs des
scènes dialoguées et l'inexistence des
personnages.

Les œuvres ultimes

Curieusement, le seul caractère intéressant est
encore une fois la mère abusive et jalouse qui
veut à toutes forces préserver son grand fils de
l'emprise des jeunes femmes. Louis Marcorelles
(dans *Arts*, mai 1963) tirera cette pertinente
conclusion : « Cinématographiquement parlant,
les oiseaux sont époustouflants... mais un tel
cinéma est-il encore neuf ? Tant d'efforts,
tant de talents, pour quoi faire ? Le cinéma
est autre chose qu'un ramassis de farces et
attrapes. On veut retrouver un homme,
un artiste complet derrière l'œuvre. »

Tippi Hedren et Sean Connery.
Pas de printemps pour Marnie (1964).

Où en sont, en effet, la personne et le
personnage ?

Bien entendu, celui qui, longtemps considéré

comme un amuseur, fut assez tardivement reconnu comme un auteur à part entière bénéficiera, à l'inverse, de l'entêtement de ses fidèles. Ceux-ci disséqueront jusqu'à son dernier souffle les soubresauts métaphysiques d'œuvres qui, pourtant, deviennent de plus en plus mineures. Hitchcock s'en amuse lui-même, se considérant avant tout comme un technicien et un truqueur (ses déclarations, dans son admirable entretien avec Truffaut, sont constamment démystificatrices, qui ramènent à l'essentiel, c'est-à-dire la technique et le procédé). Mais, s'il considère avec goguenardise certains délires critiques européens, il est trop soucieux de sa propre publicité pour les réfuter. Pas plus qu'il ne repousse les hommages et les honneurs qui s'abattent sur lui.

Immuablement vêtu d'un costume bleu au pantalon trop court et d'une chemise blanche, il assiste aux galas qui lui sont consacrés avec l'air d'un homme qui revient d'un enterrement. Cela fait partie de la silhouette de mandarin impassible qu'il a soigneusement mise au point.

PAS DE PRINTEMPS, POUR MARNIE (Marnie) (1964)

Avec Tippi Hedren (Marnie Edgar), Sean Connery (Mark Rutland), Diane Baker (Lil Mainwaring), Louise Latham (Bernice Edgar).

Marnie est une voleuse qui change sans cesse d'emploi, modifiant son nom et son aspect physique. Embauchée par Mark Rutland, elle repousse ses avances et disparaît avec une grosse somme d'argent. Mark découvre le vol, remplace l'argent et retrouve la trace de Marnie. Sommée de choisir entre le mariage et la prison, elle accepte d'épouser Mark, qui connaît pourtant sa frigidité. Mark découvre que l'origine des problèmes de sa femme remonte à sa prime enfance. Il l'emmène chez sa mère pour qu'elle affronte son passé. Là, ils apprennent que lorsqu'elle était enfant, Marnie a tué un marin avec un tisonnier pour protéger sa mère qui se livrait à la prostitution. Cet événement la plongea dans une amnésie à l'origine de sa condition névrotique. Elle quitte le domicile maternel avec le désir sincère de refaire sa vie avec Mark.

Pour ses apparitions publiques, il sait ce qu'on attend de lui. Et le donne, en grand professionnel. Il en dit : « Si je faisais Cendrillon, les spectateurs chercheraient un cadavre dans la citrouille. »

Pourtant, cet homme de soixante-six ans est à la fois usé par la maladie et dépassé par les événements. Depuis toujours, Alfred Hitchcock mange et surtout boit trop. Ce poids qui complexa l'adolescent avant de constituer l'image de l'homme public devient, pour le vieillard, un handicap et une torture permanente. Depuis ses premières attaques cardiaques, il doit se soumettre à des examens réguliers, se déplace avec difficulté, tandis que ses crises de somnolence deviennent légendaires. Et surtout, il refuse tout régime, principalement sec.

Mais, par-dessus tout, ce maître de l'horreur suggérée, cet apôtre de la persuasion clandestine est de moins en moins à son aise au fur et à mesure que se lèvent les tabous qu'il contournait avec tant d'habileté. Soucieux de continuer à plaire, il recourt de plus en plus aux procédés les plus grossiers. Celui qui évoquait comme personne l'insoutenable violence d'un meurtre (*Psychose*) ou la perversité extrême d'une passion amoureuse (*Sueurs froides*) sans rien montrer *de fait* va succomber aux facilités ambiantes. Ainsi, après avoir essuyé plusieurs échecs avec un mélodrame freudien plutôt poussiéreux (*Marnie*, 1964) et sacrifié à la guerre froide avec deux œuvres d'espionnage sans grand relief (*Le Rideau déchiré*, 1966, et *L'Étau*, 1969), Alfred Hitchcock revient-il aux sources, c'est-à-dire à la fois en Angleterre et au personnage de Jack l'Éventreur.

Barbara Leigh-Hunt et Barry Foster.
Frenzy (1971).

Après l'avoir considéré avec quelque méfiance dans l'entrebâillement de sa porte, Kim Novak ouvre à James Stewart en lui disant : « Entrez, vous n'avez pas l'air de Jack l'Éventreur. » (*Sueurs froides*) À vrai dire, le personnage n'a jamais quitté la mémoire d'Hitchcock. Dans *Les Cheveux d'or* (1926) il assistait, penché à une balustrade, à l'arrestation d'Ivor Novello; au début de *Frenzy* il est encore là, parmi les curieux qui voient dériver dans la Tamise le corps nu d'une femme étranglée. Et près de lui, un spectateur dit à son voisin : « Ça rappelle Jack l'Éventreur. Vous savez qu'il avait envoyé à la police un rein enveloppé dans du papier ? »

Retour de Jack...

Après vingt ans d'éloignement, Hitchcock revient chez lui. Après quarante-six années de cinéma, il retourne aux sources de son inspiration première : l'histoire d'un maniaque meurtrier, déséquilibré mental qui détourne les soupçons sur son ami. Crimes sadiques et faux coupable : l'ombre de Jack l'Éventreur planc sur *Frenzy*, mais sans doute aussi celle de John Reginald Halliday, contemporain d'Alfred Hitchcock (il est né un an plus tôt), qui étrangla huit femmes alors qu'il leur faisait l'amour, et enterra leurs cadavres sous le plancher de sa maison. Ce petit homme chauve, insignifiant, d'un calme absolu, vécut paisiblement au-dessus de ses victimes comme Norman Bates aux côtés de sa mère...

Barbara Leigh-Hunt.

FRENZY (réalisé en Grande-Bretagne) (1971)

Avec John Finch (Richard Blaney), Barry Foster (Bob Rusk), Barbara Leigh-Hunt (Brenda), Anna Massey (Babs).

Des meurtres sadiques sont commis sur des femmes que l'on retrouve étranglées et portant au cou la cravate d'un club. Les soupçons se portent sur Richard Blaney, ancien aviateur au chômage qui entretient des relations amicales avec son ex-femme (Brenda). Cette dernière, comme la maîtresse de Richard (Babs) seront également victimes du véritable assassin : Bob Rusk, paisible commerçant en apparence et ami de Richard. Bob sera finalement confondu.

Le réalisateur reprend l'idée : le meurtrier n'est pas un rôdeur sanguinaire arpentant les ruelles désertes par les nuits sans lune, mais un commerçant jovial plutôt sympathique. Hitchcock l'a souvent rappelé : « Meilleur est le méchant, meilleur est le film. » Et, en même temps qu'il adapte un excellent scénario, le maître retrouve tout à la fois sa patte et son humour. Sa virtuosité éclate dans un plan fameux : Rusk (le criminel) emmène une jeune femme (Babs) chez lui; la caméra les suit jusqu'en haut de l'escalier alors qu'il dit : « Vous êtes mon type de femme », puis elle recule

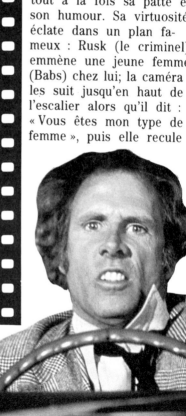

doucement en un plan continu jusqu'à quitter la maison et cadrer la rue tout entière dont le bruit assourdissant couvrirait tout cri poussé par la victime.

Et, de fait, nous retrouverons Babs morte alors que Rusk dissimule son corps dans un sac au milieu d'un chargement de pommes de terre.

Pour ce que tous les admirateurs du maître considèrent comme son grand retour au premier plan, Hitchcock n'a pas lésiné sur les effets : pour la première fois les scènes de viol et de meurtre sont filmées avec une totale crudité; pour la première fois le maître de l'ellipse et du symbole cadre des nudités féminines (dont, au demeurant, un plan parfaitement gratuit). Bien qu'il fût classé *restricted* (l'équivalent de notre interdiction aux mineurs), *Frenzy* connut un éclatant succès. Bien plus que *Complot de famille*, son dernier film tourné quatre ans plus tard, en 1976, cette très morbide histoire de l'homme qui tuait les femmes avec la cravate de son club est le véritable testament cinématographique de celui qui, annobli par la reine, s'appelle désormais « Sir Alfred Hitchcock ».

Bruce Dern, Barbara Harris.
Complot de famille (1976).

En mars 1979 se déroule le jubilé d'Alfred Hitchcock. Un spectacle admirablement réglé. À l'américaine. Cary Grant, James Stewart, Ingrid Bergman sont là; mais aussi Charlton Heston, Barbra Streisand ou Christopher Reeve...

Le Tout-Hollywood est présent à ce spectacle retransmis par la télévision. Le maître n'a pas été un récipiendaire coopératif, refusant de participer à quoi que ce soit : choix des invités, déroulement de la cérémonie, sélection des extraits de films...

Sous une salve d'applaudissements, c'est un vieil homme qui émerge d'une porte latérale et se dirige péniblement vers la table d'honneur où il s'assied entre sa femme et Cary Grant. Le show débute : c'est Ingrid Bergman qui tient le rôle de maîtresse d'une cérémonie où alterneront montages de séquences prestigieuses et interventions des plus

«La bande à Hitchcock» :
Cary Grant, Ingrid Bergman, James Stewart.

illustres acteurs hitchcockiens. Lesquels s'adressent à lui avec un mélange d'affection, d'humour et de respect. Dans un pays où le tutoiement est immédiat, cette distance

pourrait étonner; mais Hitch est à la fois un monument, une légende vivante et un homme à qui l'on ne tape pas volontiers sur le ventre, malgré les dimensions accueillantes de celui-ci. Au

L'apparition d'Hitchcock dans *Frenzy*.

reste, lorsqu'il interviendra brièvement pour conclure son triomphe, Hitchcock marquera qu'il reste à la fois drôle et perfide en démentant une formule légendaire : « Je n'ai jamais dit que les acteurs *étaient* du bétail, mais qu'il fallait les traiter *comme* du bétail. » Mais, pendant que se succèdent les interventions, chaque plan qui lui est consacré reflète un visage figé, extraordinairement absent, une indifférence minérale aux échos de sa gloire.

Depuis cinq ans, Hitchcock a cessé de tourner et porte un stimulateur cardiaque. S'il ne suit guère les conseils de ses médecins, il interroge chaque mois un laboratoire qui enregistre par téléphone son électrocardiogramme. Et pour ce faire passe des bracelets à ses poignets, avec cette étrange fascination qui court tout au long de son œuvre pour les menottes, les cordes, les chaînes, les blondes glaciales et humiliées.

Celui qui continue d'affirmer qu'il n'a compris les mécanismes du sexe qu'après sa majorité en parle désormais comme un enfant curieux ou un vieillard nostalgique. Ce qui est identique. En compagnie de David Freeman, scénariste de son futur projet, il laisse aller son imagination : « Après l'orgasme, le personnage doit prendre un peigne d'ivoire et peigner sa toison... » (*Les Derniers Jours d'Alfred Hitchcock*, David Freeman) Rêveries plutôt attendrissantes que celles d'un homme physiquement diminué et profondément choqué par la semi-invalidité de sa compagne de toujours. Pour elle seule il redevient charmeur et attentionné. Ils viennent de fêter leurs cinquante années de mariage. Il la précédera de peu dans la mort. Hitchcock n'a jamais été un tendre, mais avec l'âge, il est devenu âpre : cet homme immensément riche vit parcimonieusement; cet auteur fécond semble indifférent aux films des autres; ce tyran des plateaux ajoute de la vodka dans son orange en se cachant de son infirmière.

Pourtant, Hitchcock travaille à son prochain film, qui doit s'intituler *The Short Night*. Tandis qu'il en peaufine le scénario avec David Freeman, la pré-production s'avance. Le choix des deux interprètes principaux fait l'objet de longs débats : Robert Redford ou Sean Connery ? Pour le rôle féminin, il pense à Liv Ulmann; mais celle-ci met au point un spectacle musical pour Broadway.

En attendant, le fameux banquet se prépare. À cette idée, Hitchcock est maussade, tant il y voit une sorte d'hommage funèbre. Il se met à boire de plus en plus, caresse au passage les jeunes secrétaires et souffre le martyre malgré les injections de calmants dans ses articulations...

Autour de ce vieil homme désormais immobile, le monde court qui ne l'oublie pas : quelques mois avant sa mort, la reine d'Angleterre le fait chevalier. Le fils d'épicier est devenu Sir Alfred.

Les équipes de télévision continuent de l'entourer; mais Hitchcock joue sa dernière comédie : il sait que *Short Night* ne se fera pas. Il meurt pendant son sommeil le 29 avril 1980 et commet un dernier gag funèbre. À ses funérailles un absent de marque : son cercueil. Il s'est fait incinérer à l'insu de tous.

Il laisse bien des questions sans réponses sur son étrange vie privée. A-t-il eu réellement une liaison avec Ingrid Bergman ? Probablement non. Ce qui rend terrifiante l'affirmation qu'il fit souvent : « Savez-vous qu'elle est amoureuse de moi depuis trente ans ? »

Déjà en buste.

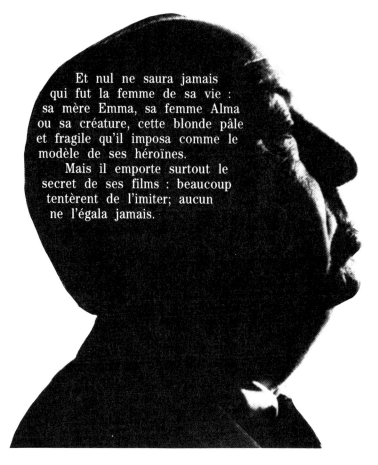

Et nul ne saura jamais
qui fut la femme de sa vie :
sa mère Emma, sa femme Alma
ou sa créature, cette blonde pâle
et fragile qu'il imposa comme le
modèle de ses héroïnes.
   Mais il emporte surtout le
secret de ses films : beaucoup
tentèrent de l'imiter; aucun
ne l'égala jamais.

Filmographie

Abréviations :
sc : scénario – ph : photo – mont : montage – int :
interprètes.

1922

Number Thirteen
(inachevé)
ph : Rosenthal; int : Clare Greet, Ernest
Thesiger (film muet).

LES ANNÉES ANGLAISES

1925

The Pleasure Garden
sc : Eliot Stannard, d'après un roman d'Oliver
Sandys; ph : Baron Ventigmilia; int : Virginia
Valli (Patsy Brand, la danseuse), Carmelita
Geraghty (Jill Cheyne) (film muet).

1926

The Mountain Eagle
(États-Unis : *Fear O'God*) sc : Eliot Stannard;
ph : Baron Ventigmilia; int : Bernard Goetzke
(Pettigrew), Nita Naldi (Beatrice, l'institutrice)
(film muet).

Les Cheveux d'or
(ex-*Meurtres*) (The Lodger) sc : Alfred
Hitchcock, Eliot Stannard, d'après un roman
de Mrs Belloc-Lowndes; ph : Baron
Ventigmilia; mont : Ivor Montagu; int : Ivor
Novello (le locataire), June (Daisy Jackson),
Marie Ault (Mrs. Jackson, sa mère) (film
muet).

1927

Downhill
(États-Unis : When Boys Leave Home) sc :
Eliot Stannard, d'après une pièce d'Ivor
Novello et Constance Collier; ph : Claude
McDonnell; mont : Ivor Montagu; int : Ivor
Novello (Roddy Berwick), Ben Webster
(Dr Dowson) (film muet).

Easy Virtue
sc : Eliot Stannard, d'après une pièce de Noel
Coward; ph : Claude McDonnell; mont : Ivor
Montagu; int : Isabel Jeans (Larita Filton),
Franklin Dyall (Mr Filton), Ian Hunter
(Plaintiff's Counsel) (film muet).

Le Masque de cuir
(ex-*La Piste*; ex-*L'Arène*) (The Ring) sc :
Alfred Hitchcock; ph : Jack Cox; int : Carl
Brissono (Jack Sander, « Round One »), Lillian
Hall-Davies (Nelly), Ian Hunter (Bob Corby,
le champion) (film muet).

1928

Laquelle des trois ?
(The Farmer's Wife) sc : Alfred Hitchcock,
d'après une pièce d'Eden Philpotts; ph : Jack
Cox; mont : Alfred Booth; int : Lillian Hall-
Davies (Araminta Dench, la servante), James
Thomas (Samuel Sweetland) (film muet).

À l'américaine
(Champagne) sc : Eliot Stannard; ph : Jack
Cox; int : Betty Balfour (Betty), Gordon
Harker (son père) (film muet).

129

1929

Harmony Heaven
partie musicale : Eddie Pola; partie lyrique :
Edward Brandt.

The Maxman
sc : Eliot Stannard, d'après un roman de Sir
Hall Caine; ph : Jack Cox; int : Carl Brisson
(Pete), Malcolm Keen (Philip), Anny Ondra
(Kate) (film muet).

Chantage
(Blackmail) sc : Alfred Hitchcock, Ben
W. Levy, Charles Bennett, d'après sa pièce;
ph : Jack Cox; mont : Émile de Ruelle; int :
Anny Ondra (Alice White), Sara Allgood
(Mrs White), John Longden (Frank Webber,
détective).

1930

Elstree Calling
(premier musical anglais)
sc : Val Valentine; ph : Claude Freise Greene;
int : Anna May Wong, Donald Calthrop.

Juno and the Paycock
sc : Alfred Hitchcock, Alma Reville, d'après
une pièce de Sean O'Casey; ph : Jack Cox;
mont : Émile de Ruelle; int : Sara Allgood
(June), Edward Chapman (capitaine Boyle).

Murder
sc : Alma Reville, d'après Clemence Dane et
Helen Simpson; ph : Jack Cox; mont : René
Harrison; int : Herbert Marshall (Sir John
Menier), Nora Baring (Diana Baring), Phyllis
Konstam (Dulcie Markham).

1931

The Skin Game
sc : Alfred Hitchcock, Alma Reville, d'après
une pièce de John Galsworthy; ph : Jack Cox,
Charles Martin; mont : René Harrison,
A. Gobett; int : Edmund Gwenn
(Mr Hornblower), Jill Edmond (Jill), John
Longden (Charles).

1932

Rich and Strange
(États-Unis : East of Shangaï) sc : Alma
Reville, Val Valentine; ph : Jack Cox, Charles
Martin; mont : René Harrison, Winnifred
Cooper; int : Henry Kendall (Fredy Hill), Joan
Barry (Emily Hill).

Number Seventeen
sc : Alfred Hitchcock, d'après une pièce et
un roman de Jefferson Farjeon; ph : Jack Cox;
int : Leon M. Lion (Ben), Anne Grey (la jeune
fille), John Stuart (le détective).

1933

Waltzes from Vienna
(États-Unis : Strauss Great Waltz) sc : Alma
Reville, Guy Bolton, d'après sa pièce; int :
Jessie Matthews (Rasi), Edmond Knight (Shani
Strauss), Edmund Gwenn (Johann Strauss
père), Frank Vosper (le prince).

1934

L'Homme qui en savait trop
(The Man who knew too much) sc : A.R.
Rawlinson, Charles Bennett, D.B. Wyndham
Lewis, Edwin Greenwood;
ph : Curt Courant; mont : H.
St C. Stewart; int : Leslie
Banks (Bob Lawrence), Edna
Best (Jill Lawrence), Peter
Lorre (Abbot), Frank Vosper
(Ramon Levine), Nova
Pilbeam (Betty Lawrence),
Pierre Fresnay (Louis
Bernard).

1935

Les Trente-neuf Marches
(The Thirty-nine Steps) sc : Charles Bennett,
Alma Reville, d'après un roman de John
Buchan; ph : Bernard Knowles; mont : Derek
N. Twist; int : Madeleine Caroll (Pamela),
Robert Donat (Richard Hannay), Lucie
Mannheim (miss Smith, Annabella), Peggy
Ashcroft (Mrs Crofter).

1936

Quatre de l'espionnage
(The Secret Agent) sc : Charles Bennett,
d'après un roman de Somerset Maugham; ph :
Bernard Knowles; mont : Charles Frend; int :
Madeleine Carroll (Elsa Carrington), John
Gielgud (Richard Ashenden), Peter Lorre (le
général), Robert Young (Robert Marvin). R.C.V.

Agent secret/Sabotage
(États-Unis : A Woman Alone) sc : Charles
Bennett, d'après un roman de Joseph Conrad;
ph : Bernard Knowles; mont : Charles Frend;
int : Sylvia Sidney (Sylvia Verloc), Oscar
Homolka (Verloc), John Loder (Ted, le
détective), Desmond Tester (le frère de
Sylvia).

1937

Jeune et innocent
(Young and innocent)
(États-Unis : A Girl was Young) sc : Charles
Bennett, Alma Reville, d'après un roman de
Josephine Tey; ph : Bernard Knowles; mont :
Charles Frend; int : Derrick de Marney
(Robert Tisdall), Nova Pilbeam (Erica), Percy
Marmont (colonel Burgoyne), John Longden
(Kent). R.C.V.

1938

Une femme disparaît
(The Lady Vanishes) sc : Sydney Gilliat, Frank
Launder, d'après un roman d'Ethel Lina White;
ph : Jack Cox; mont : Alfred Roome, R.E.
Dearing; int : Margaret Lockwood (Iris
Henderson), Michael Redgrave (Gilbert), Paul
Lukas (Dr Hartz), Dame May Whitty (miss
Froy), Googie Withers (Blanche), Cecil Parker
(Mr Todhunter).

1939

La Taverne de la Jamaïque
(Jamaica Inn) sc : Sydney Gilliat, Joan Harrison, d'après un roman de Daphne du Maurier; ph : Harry Stradling, Bernard Knowles; mont : Robert Hamer; int : Charles Laughton (Sir Humphrey Pengaltan), Maureen O'Hara (Mary), Leslie Banks (Joss Merlyn), Marie Ney (Patience).

LES ANNÉES AMÉRICAINES

1940

Rebecca
sc : Robert E. Sherwood, Joan Harrison, d'après un roman de Daphne du Maurier; ph : George Barnes; mont : Hal C. Kern; int : Laurence Olivier (Maxime de Winter), Joan Fontaine (Mrs de Winter), George Sanders (Jack Fawell), Judith Anderson (Mrs Danvers), Nigel Bruce (major Lacey), C. Aubrey Smith (colonel Julyan).

Correspondant 17
(Foreign Correspondent) sc : Charles Bennett, Joan Harrison; ph : Rudolph Mate; mont : Otto Lovering, Dorothy Spencer; int : Joel McCrea (Johnny Jones, journaliste), Laraine Day (Carol Fisher), Herbert Marshall (Stephen Fisher), George Sanders (Herbert Folliott, journaliste), Edmund Gwenn (Rowley). Film office.

1941

Joies matrimoniales
(Mr and Mrs Smith) sc : Norman Krasna; ph :
Harry Stradling; mont : William Hamilton; int :
Carole Lombard (Anne Smith et Ann
Kransheimer), Robert Montgomery (David
Smith), Gene Raymond (Jeff Custer), Jack
Carson (Chuck Benson).

Soupçons
(Suspicion) sc : Samson Raphaelson, Joan
Harrison, Alma Reville, d'après un roman de
Francis Iles; ph : Harry Stradling; mont :
William Hamilton; int : Cary Grant (John
Aysgarth), Joan Fontaine (Lina Mackinlaw),
Sir Cedric Hardwicke (général Mackinlaw),
Nigel Bruce (Beaky), Dame May Whitty
(Mrs Mackinlaw). Ciné Collection.

1942

Cinquième Colonne
(Saboteur) sc : Peter Viertel, Joan Harrison,
Dorothy Parker; ph : Joseph Valentine; mont :
Otto Ludwig; int : Robert Cummings (Barry
Kane), Priscilla Lane (Patricia Martin), Otto
Kruger (Charles Tobin).

1943

L'Ombre d'un doute
(Shadow of a Doubt) sc : Thornton Wilder,
Alma Reville, Sally Benson; ph : Joseph
Valentine; mont : Milton Carruth; int : Joseph
Cotten (Charlie Oakley, l'oncle), Teresa Wright
(Charlie Newton), Mac Donald Carey (Jack
Graham), Patricia Collinge (Emma Newton),
Hume Cronyn (Herbie Hawkins).

Lifeboat
sc : Jo Swerling, d'après une histoire de John
Steinbeck; ph : Glen Mac Williams; mont :
Dorothy Spencer; int : Tallulah Bankhead
(Constance Porter), William Bendix (Gus
Smith), John Hodiak (John Kovac), Walter
Slezak (Willy, le capitaine du sous-marin).

134

1944

Bon voyage
(court métrage) sc : J.O.C. Orton, Angus McPhail; ph : Gunther Krampf; int : John Blythe, The Moliere Players.

Aventure malgache
(court métrage) ph : Gunther Krampf; int : The Moliere Players.

1945

La Maison du Dr Edwards
(Spellbound)
sc : Ben Hecht, d'après un roman de Francis Beeding Hilary St George Saunders et John Palmer; ph : George Barnes, Jack Cosgrove (pour les effets spéciaux); mont : William Ziegler, Hal C. Kern; int : Ingrid Bergman (Dr Constance Petersen), Gregory Peck (John Ballantine), Jean Acker (la directrice), Rhonda Fleming (Mary Carmichel), Donald Curtis (Harry), Leo G. Carroll (Dr Murchison). Thorn Emi.

Les Enchaînés
(Notorious) sc : Ben Hecht; ph : Ted Tetzlaff;
mont : Theron Warth; int : Ingrid Bergman
(Alicia Huberman), Cary Grant (Devlin),
Claude Rains (Alexander Sebastian), Louis
Calhern (Paul Prescott), Leopoldine Konstantin
(Mrs Sebastian). Thorn Emi.

1947 *Le Procès Paradine*
(The Paradine Case) sc : David O. Selznick, d'après un roman de Robert Hichens; ph : Lee Garmes; mont : Hal C. Kern, John Faure; int : Gregory Peck (Anthony Keane), Anne Todd (Gay Keane), Charles Laughton (juge Horfield), Alida Valli (Maddalena Anna Paradine), Louis Jourdan (André Latour), Ethel Barrymore (lady Horfield).

LES ANNÉES ROYALES

1948 *La Corde*
(The Rope) sc : Arthur Laurents, d'après la pièce de Patrick Hamilton; ph : Joseph Valentine, William V. Skall; mont : William H. Ziegler; int : James Stewart (Rupert Cadell), John Dall (Shaw Brandon), Farley Granger (Philip), Sir Cedric Hardwicke (Mr Kentely), Constance Collier (Mrs Atwater). C.I.C.

1949 *Les Amants du Capricorne*
(Under Capricorn) sc : James Bridie, d'après un roman de Helen Simpson; ph : Jack Cardiff; mont : A.S. Bates; int : Ingrid Bergman (lady Harrietta Flusky), Joseph Cotten (Sam Flusky), Michael Wilding (Charles Adare), Margaret Leighton (Milly), Cecil Parker (Sir Richard, le gouverneur). MPM.

1950

Le Grand Alibi
(Stage Fright) sc : Whitfield Cook, d'après des histoires de Selwyn Jepson; ph : Wilkie Cooper; mont : Edward Jarvis; int : Marlene Dietrich (Charlotte Inwood), Jane Wyman (Eve Gill), Michael Wilding (inspecteur Wilfred Smith), Richard Todd (Jonathan Cooper), Alastair Sim (commodore Gill).

1951

L'Inconnu du Nord-Express
(Strangers on a Train) sc : Raymond Chandler, Czenzi Ormonde, d'après un roman de Patricia Highsmith; ph : Robert Burks; mont : William H. Ziegler; int : Farley Granger (Guy Haines), Robert Walker (Bruno Anthony), Ruth Roman (Ann Morton), Leo G. Carroll (sénateur Morton), Patricia Hitchcock (Barbara Morton).

1952

La Loi du silence
(I Confess) sc : George Tabori, William Archibald, d'après une pièce de Paul Anthelme; ph : Robert Burks; mont : Rudi Fehr; int : Montgomery Clift (père Michael Logan), Anne Baxter (Ruth Grandfort), Karl Malden (inspecteur Larrue), Brian Aherne (procureur Willy Robertson), O.E. Hasse (Otto Keller).

138

1954

Le crime était presque parfait
(Dial M for Murder) sc : Alfred Hitchcock,
d'après une pièce de Frederick Knott; ph :
Robert Burks; mont : Rudi Fehr; int : Ray
Milland (Tom Wendice), Grace Kelly (Margot
Wendice), Robert Cummings (Mark Hallyday),
John Williams (inspecteur-chef Hubbard).
(Midges), Tom Helmore (Gavin Elster).
Warner.

Fenêtre sur cour
(Rear Window) sc : John Michael Hayes,
d'après une nouvelle de Cornell Woolrich; ph :
Robert Burks; mont : George Tomasini; int :
James Stewart (L.B. Jeffries), Grace Kelly
(Lisa Fremont), Wendell Corey (Thomas Doyle,
détective), Thelma Ritter (Stella, infirmière),
Raymond Burr (Lars Thorwald). C.I.C.

1955

La Main au collet
(To Catch a Thief) sc : John Michael Hayes,
d'après un roman de David Dodge; ph : Robert
Burks, Wallace Kelley; mont : George
Tomasini; int : Cary Grant (John Robie, « le
chat »), Grace Kelly (Frances Stevens), Charles
Vanel (Bertrani), Jessie Royce Landis
(Mrs Stevens), Brigitte Auber (Danielle
Foussard).

1956 *Mais qui a tué Harry ?*
(The Trouble with Harry) sc : John Michael
Hayes, d'après un roman de John Trevor
Story; ph : Roberts Burks; mont : Alma
Macrorie; int : Edmund Gwenn (capitaine
Albert Wiles), Shirley McLaine (Jennifer), John
Forsythe (Sam Marlove, peintre), Mildred
Natwick (miss Gravely), Jerry Mathers (Tony).

L'Homme qui en savait trop
(The Man who knew too much) sc : John
Michael Hayes, Angus McPhail; ph : Robert
Burks; mont : George Tomasini; int : James
Stewart (Dr Ben MacKenna), Doris Day (Jo,
sa femme), Daniel Gélin (Louis Bernard),
Brenda de Banzie (Mrs Drayton), Bernard
Miles (Mr Drayton). C.I.C.

1957 *Le Faux Coupable*
(The Wrong Man) sc : Maxwell Anderson,
Angus McPhail; ph : Robert Burks; mont :
George Tomasini; int : Henry Fonda
(Christopher Emmanuel Balestrero, « Manny »),
Vera Miles (Rose, sa femme), Anthony Quayle
(O'Connor). Warner.

140

1958 *Sueurs froides*
(Vertigo) sc : Alec Coppel, Samuel Taylor, d'après un roman de Boileau-Narcejac; ph : Robert Burks; mont : George Tomasini; int : James Stewart (John « Scottie » Ferguson), Kim Novak (Madeleine Elster et Judy Barton), Barbara Bel Geddes (Midge Wood), Tom Helmore (Gavin Elster).

1959 *La Mort aux trousses*
(North by Northwest) sc : Ernest Lehman; ph : Robert Burks; mont : George Tomasini; int : Cary Grant (Roger Thornhill), Eva Marie-Saint (Eve Kendall), James Mason (Philip Vandamm), Jessie Royce Landis (Clara Thornhill), Leo G. Carroll (le professeur).

1960 *Psychose*
(Psycho) sc : Joseph Stefano, d'après un roman de Robert Bloch; ph : John L. Russel; mont : George Tomasini; int : Anthony Perkins (Norman Bates), Janet Leigh (Marion Crane), Vera Miles (Lila Crane), John Gavin (Sam Loomis), Martin Balsam (Milton Arbogast, détective).

LES ANNÉES SOMBRES

1963 *Les Oiseaux*
(The Birds) sc : Evan Hunter, d'après l'œuvre de Daphne du Maurier; ph : Robert Burks; mont : George Tomasini; int : Rod Taylor (Mitch Brenner), Tippi Hedren (Melanie Daniels), Jessica Tandy (Mrs Brenner), Suzanne Pleshette (Annie Hayworth). V.C.P.

1964 *Pas de printemps pour Marnie*
(Marnie) sc : Jay Presson Allen, d'après un roman de Winston Graham; ph : Robert Burks; mont : George Tomasini; int : Tippi Hedren (Marnie Edgar), Sean Connery (Mark Rutland), Diane Baker (Lil Mainwaring), Louise Latham (Bernice Edgar).

1966 *Le Rideau déchiré*
(Torn Curtain) sc : Brian Moore; ph : John F. Warren; mont : Bud Hoffman; int : Paul Newman (Pr Michael Armstrong), Julie Andrews (Sarah Sherman), Lila Kedrova (comtesse Kuchinska), Tamara Toumanova (Ballerina).

1969 *L'Étau*
(Topaz) sc : Samuel Taylor, d'après un roman de Leon Uris; ph : Jack Hildyard; mont : William H. Ziegler; int : Frederick Stafford (André Devereaux), John Forsythe (Michael Nordstrom), Dany Robin (Nicole Devereaux), Philippe Noiret (Henri Jarré), Michel Piccoli (Jacques Granville), John Vernon (Rico Parra).

1971 *Frenzy*
sc : Anthony Shaffer, d'après un roman d'Arthur La Bern; ph : Gil Taylor; mont : John Jympson; int : John Finch (Richard Blaney), Alec McGowen (inspecteur Oxford), Barry Foster (Bob Rusk), Barbara Leigh-Hunt (Brenda Blaney), Anna Massey (Barbara « Babs » Milligan). C.I.C.

1976 *Complot de famille*
(Family Plot, ex-Deceit) sc : Ernest Lehman, d'après un roman de Victor Canning; ph : Leonard J. South; mont : Terry Williams; int : Karen Black (Fran), Bruce Dern (George Lumley), Barbara Harris (Blanche Tyler), Roy Thinnes (Arthur Adamson).

Crédit photographique
Collection Christophe L., pages 3, 5, 6, 8 et 9, 11,
12, 16, 17, 28, 29, 32 b, 33, 35, 38 et 39, 40, 41,
43 b, 45, 49, 51, 53, 55, 56, 58, 59, 60, 62 et 63,
64, 68 et 69, 70 a, 72, 76, 77 a, 78 et 79, 81 a,
84, 88, 90, 91, 94, 95, 99, 100 et 101, 102, 106, 107,
109, 110, 113, 114, 118, 119, 120 et 121, 122 a, 122
b, 123, 126 b, 131, 135, 136, 137, 138, 139, 140, 142,
143. Collection Jacques Zimmer, pages 20, 25, 27,
30, 42, 67, 74, 75 b, 104, 112 et 113, 125, 126 a.
Collection Alain Petit, pages 77 c, 97. Collection
Alain Guyot, pages 7, 10, 21, 24, 26, 31, 32 a, 36,
37, 43 a, 48, 50, 52, 61, 65, 70 b, 71, 73, 75 a, 77
b, 81 b, 82, 85, 89, 93, 108, 120 a, 122 c, 126 c,
127, 141. Roger-Viollet, pages 12 b, 17, 18, 19.
Boyer-Violet, pages 13, 14. U.F.O.L.E.I.S., pages 22,
23, 86, 98. Oesterreichisches Filmmuseum, pages 34,
46, 92. Editions Hazan, page 66.

Ouvrages Consultés
● *Hitchcock, Eric Rohmer, Claude Chabrol, 1957.*
● *Le Cinéma selon Hitchcock, François Truffaut,
1966.*
● *Hitchcock, Noël Simsolo, 1969.*
● *Hitchcock, Robert A. Harris - Michaël S. Lasky,
1976.*
● *L'art d'Alfred Hitchcock, Donald Spoto, 1976.*
● *The dark side of gênius, Donald Spoto, 1983
(inédit).*
● *Mêmos, David O. Selznick, 1984.*
● *Les derniers jours d'Alfred Hitchcock, David
Freeman, 1984.*
● *Hitchcock, Bruno Villien, 1985.*
● *Dossiers de presse : documentation
U.F.O.L.E.I.S., La Revue du Cinéma.*

Maquette Alain Guyot assisté de Philippe Millet.
Photocomposition Communication, Champforgeuil.
© 1988 Éditions J'ai lu

J'ai lu Cinéma / Éditions J'ai lu
27, rue Cassette   75006 Paris

Imprimé en France par Intergraphie à Saint-Etienne
le 30 novembre 1988
Dépôt légal décembre 1988. ISBN 2-277-37000-0

Diffusion France et étranger Flammarion